Cennad

Diolch o galon i bawb fu o gymorth wrth i mi ddwyn
y gyfrol hon ynghyd:

Elena Gruffudd (Golygydd Creadigol Cyhoeddiadau Barddas),
Huw Meirion Edwards (Pennaeth yr Adran Olygyddol, Cyngor Llyfrau Cymru),
Elgan Griffiths (dylunio) a William Howells (mynegai).

Argraffiad cyntaf 2018

ISBN 978-1911584-06-3 (clawr meddal)
ISBN 978-1911584-10-0 (clawr caled)

Cyhoeddwyd gyda chymorth ariannol Cyngor Llyfrau Cymru.

Cyhoeddwyd gan Gyhoeddiadau Barddas.
Argraffwyd gan Y Lolfa, Tal-y-bont.

CYFRES LLENORION CYMRU

MENNA ELFYN

Cyhoeddiadau Barddas

I Wynfford

Cans cyfrinach rhwng dau,
Aea' neu ha' ...
('Digymar', *Perffaith Nam*)

PROLOG

MENNA: Pa fath o enw yw Menna?

Mae e yn y Beibl, meddai 'Nhad. Ceiriog a'i Menna, medd arall. Ond dyw 'men' heb y ddwy lythyren olaf ddim yn gwneud synnwyr i ferch. Cyrraedd Colombo a phawb yn rhyfeddu ataf. Pam, holais? Wel, am fod eich croen mor wyn. Indiad ddylech chi fod – Meena, y dywysoges o'n llên gwerin ni.

Yn blentyn, ni wyddwn am neb o'r enw Menna. Dyna deimlo yn rhyfedd-beth nes dechrau clywed am ambell i Menna arall wedi imi ddod yn oedolyn. Ond lleiafrif ydym o hyd. Nid yw'r enw Menna wedi cydio yn nychymyg rhieni Cymru.

Yn Cairo, mae fy enw mewn neon. Yn disgleirio yn y ffurfafen ddu. Mena Hotel, Mena Radio. Yno, mae Menna gydag un 'n' yn adnabyddus gan mai'r Pharo cyntaf oedd Mena a phan ymwelaf â'r pyramid yn Giza rwy'n gweld trugareddau di-ri gyda'm henw arnynt, ar boster, ar swfenîr ac ar docyn. Yn ddiweddarach, clywaf am actores enwog o'r Aifft o'r enw Menna Arafa. Bûm yn ceisio arafu trwy gydol fy mywyd, ond deillia'r 'Arafa' hwn o'r gair Swahileg, gydag adlais o ddiwrnod Arafa, sef y dydd sancteiddiolaf yng nghrefydd Islam sy'n disgyn saith deg niwrnod ar ôl diwedd mis Ramadan, ac ail ddydd y bererindod Hajj. Ydyn, mae enwau'n ein harwain ar hyd llwybrau anghynefin ond hudolus gan fod ynghlwm wrth ddefodau o bob math sy'n borth ac sy'n porthi'r dychymyg.

Ar drothwy'r mileniwm, newidiwyd fy enw yn America gan Walt Disney, o bawb, i Meyna Elfin, ac mewn taflen gyhoeddusrwydd dywedwyd bod y mileniwm ar fin cyrraedd, gan nodi: 'To celebrate this momentous occasion, Disney has asked Aaron Jay Kernis, a world-famous composer, and Meyna Elfin, a world-famous poet and lyricist, to write a symphony for the millennium.' Rhyfedd fel y gall un neu ddwy lythyren newid eich hunaniaeth yn llwyr.

ELFYN: 'Why do you write in this elfin-language?' medd un wrthyf yn yr Wcráin. Elfynova oedd enw Tony Conran arnaf pan sylwodd imi newid fy arddull wrth ysgrifennu cerddi mwy sylweddol yn ei farn e. Merêd oedd yr unig un i'm galw yn Men a doedd gen i mo'r hyder i brotestio. Men. Y trueni oedd mai torf o ddynion oeddwn yn Saesneg.

Teithiais i Facedonia gyda thocyn awyren a gamsillafwyd yn 'Effin', ac wrth imi geisio egluro fy enw cywir wrth y ddynes yn y *checkout*, atebodd yn swta: 'Sorry, love, but you have to be what's on the ticket.'

Tocyn bywyd yw enw, wedi'r cyfan. Atgof cyson yw a dolen rhyngof â 'Nhad – Elfyn. Roedd ganddo falchder yn ei enw ac felly rhaid i minnau ei gofleidio hefyd. Enw hynafol. Enw y bardd cynnar Elfyn ydyw. Eto, Elvin sydd ar dystysgrif geni fy nhad a dyna'i brotest dawel wrth droi'r Saesneg yn enw Cymraeg pan aeth o oed llanc i osod ei bersonoliaeth ei hun fel Elfyn.

Ac roedd Elfyn Cymraeg yn fwy cydnaws i rywun fel ef oedd â'i fryd ar fod yn weinidog yr Efengyl, yn emynydd a bardd.

'Your name is pure poetry,' meddai bardd o Rwsia wrthyf un tro. A dyma gofio i Auden ddweud mai barddoniaeth amrwd yw enwau pobl.

Deunydd yw enw, felly. Dyrnaid i'w fowldio i'r hyn a fynnwn ei lunio o'r enw gan ddyheu weithiau i'r enw serennu, ac ofni hefyd y gair atgas hwnnw, 'difenwi'. Enw i'w gofleidio bellach, enw i'w dderbyn a'i groesawu weithiau. 'Cofiwch fi ato' yw'r hyn a ddywedwn wrth rywun a adwaenwn wrth gyfeirio at gyfarfyddiad arall. Cadwyn yw enw rhyngom a'n cydnabod. Aiff enw dros gof a chael ei ailfedyddio yn yr enaid pan glywn ef yn cael ei leisio drachefn.

Sut mae modd i'r anghyfarwydd ei ynganu? Meddyliwch am Elvis, meddwn wrth drefnydd un ŵyl lenyddol. Seiniwch yr 'f' fel 'v' – llythyren dawel yw. Gwers anodd i'r sawl nad yw'n deall yr wyddor Gymraeg.

Ar ffurflenni pasbort a'r gwasanaeth iechyd, mae'r cyfenw yn bwysicach na'r enw cyntaf.

* * *

Mewn dosbarth neu weithdy rwy'n mynnu cael pawb i ddweud ei enw wrthyf ar goedd. Yna, dywedaf wrthynt mai dyna'r weithred bwysig gyntaf o gredu yn eich personoliaeth arbennig. O roi llais i'ch enw. Dywedaf wedyn wrthynt mai dyna'r peth anoddaf mewn bywyd – sef dweud eich enw wrth rywun dieithr. Yna, caf hwy i ysgrifennu am eu henw a dadlennir cyfoeth o straeon gan atgoffa rhywun fod i bob person ei 'fabinogi' ei hun.

* * *

Beth sydd mewn enw, felly? Wedi inni fyned o'r byd hwn, dim ond enw a fyddwn, enw mewn stori neu sylw, enw i dynnu gwên neu ddeigryn, enw sy'n atgof o adnabyddiaeth gan genhedlaeth na wyddant amdanom – mwy na'n henwau. Mae enwau mor rhad ond einioes mor gyfoethog. Goroesi a wna enwau hyd yn oed ar ôl ein dyddiau ni.

Ond yn ôl at heddiw. Mae ambell enw arall gennyf bellach sydd yn fwy pleserus na hyd yn oed fy enw cyntaf: Mamo i bedwar o wyrion, Mam i ddau, modryb i lu. Arddelaf y gair 'gwraig' hefyd, er mor llwythog fu ei ystyr yn hanes merched. Mynnodd fy nghymar oherwydd hynny na ddylwn gymryd ei gyfenw ef wedi inni briodi. Do, cefais fod yn fi fy hun, Menna Elfyn, er y syndod ar wynebau aelodau o'i deulu. Plant y chwedegau oeddem, yn credu mewn hunaniaeth unigolyddol yn y byd hwn.

* * *

Eto, mewn llên-gofiant gyda 'Menna Elfyn' yn enw ar y clawr, gobaith y bardd o ferch yw y bydd rhywun, neu rywrai, ymhen blynyddoedd i ddod – a thra pery'r iaith – yn cofio llinell o'i gwaith, neu hyd yn oed ddarn byr o farddoniaeth a wnaeth eu cyffwrdd, rywsut, rywdro.

A wyddoch chi beth? Bryd hynny, mi fyddwn yn fwy na bodlon pe na bai'r person hwnnw neu honno yn cofio pwy oedd y bardd a luniodd y fath eiriau. Dyna beth yw gwir anfarwoldeb i'r artist, sef i rywun 'enwi' rhywbeth a luniwyd gennych ac anghofio enw'r sawl a'i creodd. Mae enwogrwydd mwy i'r anhysbys. A phery yn hwy. A chyffyrddiad rhai trwy ein doe sydd yno i fywiocáu pob yfory – trwy air neu gerdd.

Erbyn hyn, rwyf wedi lled-dderbyn yr enw a roddwyd imi, er, cofiwch, fel fy nhad, nid dyna'r enw sydd ar fy nhystysgrif geni. Diflannodd y person hwnnw rywbryd rhwng 1964 ac 1966. Ond taw piau hi, achos er i 'nhystysgrif geni nodi Menna Eirlys Jones, bodlonais ar fyw o dan rith yr enw a rois i mi fy hun. Y weithred greadigol gyntaf o'm heiddo. Un herfeiddiol neu broffwydol? Wn i ddim.

Ai dyna pryd y ganwyd y bardd?

Menna Elfyn

1
MAGWRAETH

Cefais fy ngeni â phwysau'r byd arnaf. Yng nghanol storm eira hefyd – cael a chael oedd hi i gyrraedd Ysbyty Glanaman o Bontardawe a'r lluwchfeydd yn cau amdanom. Ac fel y mae pob pluen eira yn wahanol, gwyrth debyg yw pob plentyn a enir.

Ddyddiau wedi'r enedigaeth, mynnai Mam fod marc coch ar fy moch, ond wfftio'r sylw a wnâi'r meddygon gan daeru y byddai'n diflannu ac nad oedd dim i boeni yn ei gylch. Fisoedd wedyn, roedd y marc coch yn tyfu ac yn ymffurfio fel siâp wy, a hwnnw'n troi'n borffor las. A dyna'r byd meddygol yn gorfod cydnabod mai marc geni o fath ydoedd ond nad oedd dim i'w wneud am y peth. Ychydig fisoedd oed oeddwn a'r gobaith oedd y byddai'r aflwydd yn diflannu yn raddol bach.

Ond parhau i dyfu a wnâi'r bwlyn bach a chyn pen dim, sylwodd fy mam fy mod yn tueddu i blygu fy mhen yn sgil y pwysau yr oedd y nam yn ei orfodi arnaf. Nid un i eistedd a derbyn y dynghedfen oedd Mam ond un a wyddai, o'r ychydig nyrsio a wnaethai cyn priodi, y deuai o hyd i ryw driniaeth yn rhywle. A dyna fan cychwyn ein pererindod drwy gerdded ar hyd coridorau ysbytai ledled Cymru a'r drysau'n cau arni gan bob arbenigwr yn ei dro. Doedd dim i'w wneud ond derbyn ffawd. Ysgwyd eu pennau a wnaent yn ymddiheuriol. 'Gallech wastad wisgo het am ei phen' oedd sylw un perthynas a gofiai weld person â nam tebyg ar ochr ei hwyneb.

Ym mreichiau Mam, gyda Sian, fy chwaer, a Geraint, fy mrawd

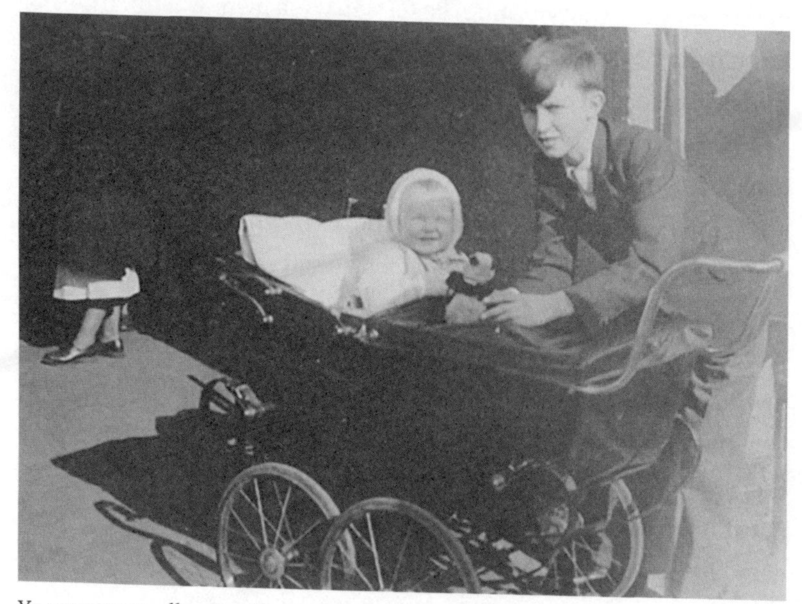

Yn y goets y tu allan i'r ysbyty yng Nghas-gwent gyda phreswyliwr arall

Barddoni wrth y bwrdd du

Fi gyda Susie, fy anifail anwes

Ond doedd dim 'na' yng ngeirfa fy mam. Ac felly, parhau ar y daith a wnaeth nes dod i uned yng Nghas-gwent oedd yn dwyn yr enw 'Burns Unit'. Ac yno y cyfarfu â llawfeddyg a fyddai'n newid cwrs fy mywyd. Rhoddodd yr arbenigwr dermatoleg, Emlyn Lewis, yr addewid y byddai'n rhoi cynnig ar symud y nam o ochr fy moch. Ond yr oedd yr amodau a osododd yn rhai llym. Golygai y byddai'n rhaid i mi dreulio misoedd lawer fel claf yn byw yn yr ysbyty ac yntau'n craffu ac arbrofi yn raddol bach ar y croen gan mor fychan oeddwn ac mor dyner y croen. O gam i gam oedd ei deall hi, mynnai ef. Yn wir, roedd llawdriniaeth o'r fath yn arbrofol iawn yn y pumdegau cynnar a heb gael ei chydnabod yn iawn. Testun arbrawf oeddwn, felly, gan ddyn a ddaeth yn arwr ym meddwl fy rhieni ac yn ddiweddarach yn fy meddwl innau hefyd. Llawfeddyg rhyfeddol ydoedd a bu fel rhyw dad i mi, yn ôl y sôn, wrth iddo fy nghario o gwmpas yr ysbyty ar ei ysgwydd pan oedd yn ymweld â chleifion eraill. Ysgwyddodd faich arall hefyd gyda'i ddawn wyrthiol i newid tynged y baban hwnnw a dreuliodd yn agos i dair blynedd i gyd o dan ei ofal, gan dreulio misoedd ar y tro yn yr ysbyty ac yna yn cael dychwelyd adre am seibiant am ryw fis, bob hyn a hyn, i'r Mans yn Heol y Gelli, Pontardawe.

Bu'r llawdriniaethau yn rhai manwl a dwys gan losgi croen un ochr o'm boch yn gyfan gwbl drwy arllwys alcohol berwedig arno ac yna impio croen newydd arnaf. Dywedwyd wrth y teulu wedyn y byddai'r math hwnnw o driniaeth wedi bod yn rhy boenus i oedolyn ei ddioddef bryd hynny. Ond bu'n llwyddiant ysgubol, a hyd heddiw yr unig olion o'r triniaethau a feddaf yw craith fechan y tu ôl i'r glust chwith. Neu ai fy nghlust dde? Weithiau, mae'n rhaid i mi fynd â'm bys y tu ôl i'r ddwy glust i gofio pa un ydyw.

Tebyg y câi ei galw yn llawdriniaeth gosmetig heddiw, ond o 1951 hyd 1954 cefais fy achub i raddau gan ŵr a arloesodd yn y maes. Galwyd am ei wasanaeth i ailadeiladu wynebau rhai a ddaliwyd mewn ffrwydradau dan ddaear neu i geisio gwella wynebau rhai dynion a

Yn blentyn ifanc yn yr ardd

ddioddefodd effeithiau'r rhyfel. Ond gan mai fi oedd y baban cyntaf iddo arbrofi arno, cefais fy siâr o ymweliadau â chynadleddau mawrion lle y byddai'n fy arddangos fel ei enghraifft berffaith. Yn wir, fi oedd ei brawf mwyaf o'r hyn y gellid ei gyflawni ym maes impio croen, a hynny drwy ddyfalbarhau a mentro. Un o'm hatgofion cynharaf yw'r glatsien ysgafn ar fy moch o flaen cynulleidfa, ac yntau yn ei frwdfrydedd mewn cynadleddau yn traethu wrth arbenigwyr eraill yn y maes cymhleth hwn gan ymfalchïo wrth arddangos mor ddifrycheulyd oeddwn wedi'r driniaeth. A minnau'n blentyn, wrth gwrs, roedd hi'n anodd deall pam y cawn fy nhorsythu o flaen cynulleidfa a cholli diwrnod o ysgol yn y broses.

Dim ond un llythyr sydd gennyf yn fy meddiant o'r cyfnod hwn ond er hynny, mae'n un o'r rhai rwy'n ei drysori fwyaf:

> Dear Mr Elfyn Jones,
>
> It is extremely kind of you to express your appreciation for what has been done for Menna. She is a delightful child, and quite one of the characters in the Children's Ward.
>
> You will appreciate that the blood vessel formation in front of her ear has a very ill-defined network and although I hope that I have removed it completely, it does not necessarily follow. I was quite pleased with the removal on Monday last, but naturally there must be a considerable amount more for me to do, if I am to eradicate all trace of such a disfigurement in such an attractive child.
>
> Perhaps at a time when she is discharged and you bring her to my Clinic, I might have a word with you.
>
> Yours sincerely,
> Emlyn Lewis
> Surgeon in charge

Bu chwe thriniaeth fawr a nifer o driniaethau llai eu maint dros gyfnod o dair blynedd i gyd. Yn aml, meddyliaf am aberth fy rhieni yn teithio yn eu car bach o Bontardawe i Ysbyty St Lawrence, Cas-gwent yn y dyddiau anodd hynny ar hyd heolydd anwastad de Cymru, a hwythau'n cael fy ngweld am ychydig oriau yn unig cyn dychwelyd adre at y ddau blentyn arall, fy chwaer fawr, Siân, a'm brawd, Geraint. Byddai'n rhaid cychwyn yn fore iawn yn yr Austin 7, hen gar a oedd yn aml yn torri i lawr ar y ffordd yno. Heblaw am y teithiau hynny, ffonio oedd y dull arall o wybod sut oeddwn ac un tro ffoniodd Mam yr ysbyty i holi amdanaf, dim ond i glywed fy llais o'r tu ôl i'r nyrs a minnau yn ei chôl yn y swyddfa. Cefais orchymyn i ganu 'Jesus loves me' dros y gwifrau, nes roedd fy mam yn ei dagrau. O ganlyniad, methodd â mynd i oedfa'r nos yn y capel y noson honno am i'r hiraeth fod yn ormod iddi. Yn rhyfedd iawn, cysylltaf bob dydd Sul â'r atgof o fel y byddai Mam yn ysgrifennu llythyr ataf ar ôl i mi adael cartref a mynd i'r coleg – arwydd o'r math o fam ymgeleddol ydoedd, yn rhannu digwyddiadau'r fro a'r teulu heb unwaith ddisgwyl cael llythyr yn ôl oddi wrthyf. Hwyrach y dylai fod wedi bod yn fwy meddiannol o'm hamser, ond caniatáu i mi y pellter hwnnw i fod yn berson annibynnol a wnaeth drwy ei hoes. Tybed ai am iddi hi ddysgu, fel minnau, i'm rhyddhau i ddwylo eraill, er fy lles fy hun?

Wrth imi feddwl amdani, a chofio na chedwais ddim oll o'i llythyrau manwl yn ei hysgrifen gymen, is fy nhraed mae basged sbwriel, a fu unwaith yn fasged ar flaen beic fy mam pan oedd yn wraig gweinidog yn Llanboidy adeg y rhyfel, a hithau'n ifanc:

O bob dim a feddaf yn y tŷ,
Y fasged sbwriel wrth fy nhraed
Yw fy nghyfaill pennaf.
Herciodd unwaith ar ddolennau
Beic fy mam,
Wrth i honno
Fynd ar neges yma a thraw,
Yn wraig gweinidog landeg;
Gallaf glywed y lemwn o'i theisen

Yn codi i'm ffroenau,
Gweld ei chacen farbl yn chwyrlïo
Nes dawnsio i'w lle;
A'm bysedd yn llyfu'r eisin.

Ond edrychaf eto,
A does dim yn y fasged
Dim ond geiriau torllwyd,
Helion ar wasgar
'yn eisteddfa'r gwatwarwyr'.

('Carwsél y Bagiau', *Perfect Blemish/ Perffaith Nam*)

* * *

Ni allaf ychwaith, hyd heddiw, feddwl am fy mywyd heb deimlo'r ddyled i'r llawfeddyg. Daw yn aml i'r meddwl, a hynny am y carwn fod wedi ei adnabod wedi i mi ddod i oed. Ond doedd hynny ddim i fod gan y bu farw o effeithiau gorweithio a drwgeffeithiau alcohol. Yr oedd, meddant, yn un o'r rhai hynny a wnaeth ei fywyd yn genhadaeth heb ei arbed ei hun o gwbl yn y broses o drin eraill. Geiriau eraill yw'r unig dystiolaeth sydd gennyf o'i ymroddiad llwyr i'w waith – hynny, a'r ffaith 'mod i'n gallu codi fy mhen yn uchel heddiw gyda balchder heb deimlo'r pwn a oedd yn llethu un ochr o'm hwyneb yn blentyn.

Yn Ysbyty Treforys, cefais weld cerflun ohono gan lawfeddyg arall, a rhyfeddodd hwnnw o ddarllen y llythyr a ddangosais iddo mor dyner ydoedd wrth ymdrin â'm rhieni. Dyn byrbwyll ydoedd. Ond dim ond ymarfer pwyll a wnaeth gyda mi, ac rwy'n dal i gael breuddwydion amdano hyd y dydd heddiw am ei fod yn rhan o'm chwedloniaeth i. Fe fyn fy nhad mai rhadlonrwydd fy mam a'i phersonoliaeth ddiymhongar oedd wedi ennill y dydd a'i wneud yn addfwyn tuag ati hithau. O adnabod Mam, mae'n anodd meddwl am neb yn ei thrin yn arw.

Ceisiais lawer tro gofnodi ei fywyd gyda cherdd ond methais hyd yma, er y daw'r syniad o 'berffaith nam' yn un o elfennau cyson fy ngwaith. Fe fyn ymwthio ei ffordd pan nad wyf am iddo wneud. Wrth lunio cerdd am Simone Weil yr athronydd a'r ymgyrchydd gwleidyddol o Ffrainc, fel rhan o ddrama lwyfan a luniais yn 1992, cyfeiriaf at y nam:

Fel tithe, Simone, un o'r gweddill gwael
oeddwn i. A aned â nam yn flaenffrwyth
boch, rhyw glatsh-y-cŵn wedi eu gwasgu
a'r rheiny'n gwenwyno harddwch.
Fel tithe, Simone, gobed brethyn a dorrwyd
o ddefnydd ysgafn own i. Ond fel tydi
gwelwn yr haul yn tryloywi'r fynwes
gan dynnu'r enaid i'r golwg.

('Y Forwyn Goch')

Ar wahân i'r gydnabyddiaeth o'm boch lurguniedig, dim ond un gerdd arall sydd yn cyfeirio'n benodol at y 'nam':

Rwy'n ymolch
bob bore
yn nagrau diolch,

pob nam a'i glwyf
sy'n llechu
ar esgair yr hyn ydwyf.

Nid o gam i gam
y rhedaf yr yrfa –
ond o nam i nam.

Di-gri yw'r graith,
yn grachen
sydd mor berffaith;

magu meflau sy'n rhwydd,
sad o syml
yw amherffeithrwydd.

A dyma fan gwan –
y pry sy'n y prydydd:
esgyn cyn disgyn
a'r gair yn fflwcsyn.

('Plygain', *Perfect Blemish/ Perffaith Nam*)

Ni allaf ddianc rhag y gair 'nam'. Na'r awydd i ymladd meflau, gwallau, ac amherffeithrwydd. Heb anghofio, wrth gwrs, fod yna rai yn ceisio creu nam mewn darn o waith creadigol gyda *wabi-sabi* sy'n cydnabod harddwch mewn nam, a hynny am ein bod ni yn fodau gwibiog ar y blaned hon. Fflwcs.

Pa nam neu farc arall sydd ag iddo ei ôl ar fy mhrifiant, tybed? Yr wyf yn aml wedi meddwl a wnaeth y ffaith i mi fod mewn ysbyty heb deulu o'm cwmpas bob dydd fy ngwneud yn fodlon ar fy nghwmni fy hun, neu yn fwy annibynnol o ran greddf na'r rhelyw sydd wedi eu magu ar aelwyd glòs.

Onid yw seicolegwyr yn taeru mor ffurfiannol yw'r blynyddoedd cyntaf hynny yn natblygiad plentyn? Hwyrach i'r mynd a'r dod o'r ysbyty i'r aelwyd ac yn ôl yn gyson fy ngwneud yn wydn o ran derbyn bod yn fy nghroen fy hun. 'Miss proper teapot' oedd yr enw arnaf yn yr ysbyty, mae'n debyg, er na chefais, am wn i, baneidiau o de gan y nyrsys.

Ychydig yw'r delweddau a erys yn y cof o'r cyfnod hwnnw, ar wahân i weld coridorau hirion a minnau'n gosod blociau fel rhwystrau er mwyn i'r plant a âi i'r ysgol ddyddiol yno fedru rhedeg atynt, am y gorau i'w cicio ar wib nes eu bod yn hedfan i bobman. Byddwn hefyd yn sleifio i mewn i wahanol wardiau ac yn helpu fy hun i deganau y rhai hynny oedd yn orweddog. Cyfnod ydoedd pan nad oedd rhieni'n cael aros wrth erchwyn gwelyau eu plant.

* * *

Wedi cychwyn yn yr ysgol gynradd, Ysgol Llan-giwg, Pontardawe, cofiaf deimlo i rai o'r athrawon fod yn orofalus ohonof. Pe byddwn yn cwympo ar yr iard, byddai'r athrawon am y cyntaf, yn edrych yn ofidus arnaf gan wneud yn siŵr bod fy moch yn iawn. Byddai ymwelwyr â'r Mans yn rhythu arnaf, a dyna'r stori a fyddai'n destun arswyd a rhyfeddod. Fy nam. Roedd yn destun sgwrs barhaus, yn enwedig ar ôl i'r triniaethau orffen. Aml i noson y byddwn yn mwytho'r graith honno ac yn dychmygu beth ydoedd amdani a ddenai'r fath drafod. Roeddwn yn wahanol i bawb. Mae pob plentyn yn dod yn ymwybodol o'r teimlad hwnnw o fod yn 'wahanol,' yn 'ots i bawb', ond hefyd yn teimlo ar adegau nad yw bod yn wahanol fel plentyn yn rhywbeth i'w ddymuno.

Diwrnod cyntaf yn Ysgol y Babanod, Gŵyl Ddewi 1956 (trydydd o'r chwith yn y rhes gefn yn gwisgo het croen afanc Mam-gu Deri)

Ein teulu ni – o'r chwith: Geraint, Sian, Dad a Mam – Elfyn a Myra – a minnau yn y blaen

Pawb a'i fys lle bo'i ddolur, a thrwy'r blynyddoedd o lywio gweithdai ysgrifennu mae'r dasg o drafod creithiau wedi bod gyda'r mwyaf cynhyrchiol wrth imi gael egin awduron i arllwys eu teimladau mewn geiriau am na chawsant gyfle i wneud, medden nhw, cyn hynny. Mae gan bawb ei graith, boed yn weledig neu'n anweledig. Ac i'r awdur, allan o'r graith honno y tardd y creadigrwydd a'r sylweddoliad mor hyglwyfus ydym.

Honno oedd y graith a'm gwnaeth yn encilgar, yn annibynnol, yn dyheu am lonyddwch ac am unigedd. Ac eto'r nam hwnnw a wnaeth i mi deimlo'n glwyfus pan ddeuthum i gyfnod llencyndod a gweld cenedl fel Fiet-nam yn dioddef effeithiau rhyfel egr. Roedd gweld y ferch naw mlwydd oed, Kim Phuc, ar Fehefin yr 8fed, 1972 yn sgrechian mewn poen a'i chroen ar dân oherwydd napalm yn atgof poenus i mi o'r ffordd y llosgwyd fy moch innau er lles fy nyfodol di-nam. Ond arall oedd tynged y ferch honno wrth iddi wynebu blynyddoedd lawer o driniaethau ac mor hyfryd oedd clywed iddi, ddeugain mlynedd yn ddiweddarach, gael triniaethau newydd gan arbenigwr yng Nghanada gydag offer laser. Mae'r stori wedi ei serio ar fy nghof ers y saithdegau cynnar, ynghylch ei dioddefaint yn ogystal â gwrhydri y ffotograffydd a aeth â hi'n syth i ysbyty cyn anfon ei luniau at ei gyflogwr. Erbyn heddiw, fe'i geilw yn Wncwl Ut.

* * *

Yn Hanoi yn y nawdegau cynnar, daeth gwraig ataf a chydio yn fy mraich ac esgus ei bwyta fel melon. 'Mae'ch croen mor wyn,' meddai; 'yn berffaith,' meddai fy nghyfieithydd wrthyf wedyn. Yno yn yr haul styfnig ei encil, gwelwn fel yr addolid croen oedd yn wynnaidd, a'r pelydrau cras yn duo eu crwyn hwythau. Ac ni wyddai hi fod, o dan fy nghroen, frychni tu hwnt i freichiau, a staen geni unwaith a'm gwnâi mor afluniaidd â rhai o'r babanod a welais yno.

* * *

Y teimlad hwnnw o arwahanrwydd. Yr alltudiaeth. Yr aelwyd absennol. Y sefydliad fel ysbyty. Gwyn. Clinigol. Byth ers hynny, rwy wedi ofni sefydliadau, a'r elfen gloëdig. Ofni'r drws caeedig. Eisiau golau ar y landin. A'r plant wedi hen adael y nyth, mae eisiau'r golau arnaf o hyd. Fel goleudy ar ymyl craig yn y nos. Yn gysur. Fel golau'r coridorau yn yr ysbyty. Golau sy'n gysur i dywysydd y nos.

A dim llenni. Byd heb lenni yw fy myd i. A thra 'mod i'n mynnu golau landin, rwy'n caru goleuni'r nos y tu allan yn syllu i mewn arnaf. Yn caru gweld cilgant o leuad neu loergan yn gwenu arnaf cyn i mi fynd i gysgu. Goleuni ac unigedd. Y ddeubeth hyn sydd wedi bod fel llusern yn fy llaw ar hyd y degawdau.

Bocsrwm oedd fy stafell i yn y Mans. Fel y cyw melyn olaf, tin y nyth, y stafell honno oedd yn gymwys ar gyfer y lleiaf. Ac roedd hi'n ddigon i blentyn bach. Drws nesa' i mi roedd stafell fy mam-gu a byddwn, yn gynnar yn y bore bach, yn sleifio i mewn ati hi lle y byddem yn chwarae pebyll drwy godi'r gwrthban i fyny dros ein pennau a dychmygu ein bod allan ar y mynydd yn gwersylla. Doedd hi ddim yn anodd meddwl am hynny gan y byddai Mam-gu, pa bryd bynnag yr aem am dro i'r Mynydd Du neu'r Crai, yn mynnu casglu cnu strae ar weirennau pigog y rhostir ac yna'n eu cario'n barchus adre, dim ond i'w gwthio i ryw gwilt clytiog a wnïai bob hyn a hyn. Felly, wrth orwedd yno, gallem arogli baw defaid, mawn a grug y mynydd.

Roedd gennyf berthynas glòs â'r fam-gu honno a ddaeth i fyw atom a hithau yn ei chwedegau cynnar. Bu fy nhad-cu farw mewn damwain yn y pwll glo a phan ddaeth Mam-gu atom, un o'r geiriau cyntaf a ddysgais oedd y gair 'glo compo', sef y llwyth o lo a ddeuai i dalcen y tŷ bob chwarter. Er i mi lunio cerdd seml am hynny wrth gofio am y ffws a'r ffwdan a fyddai gan Mam-gu wrth roi trefn ar y glo wedyn

Gyda Mam-gu Tymbl

yn y cwt glo yng nghornel y Mans ym Mhontardawe, dim ond ar ôl i'r glowyr gael eu lladd yng nglofa Gleision, ger Pontardawe, y llwyddais i lunio'r gerdd go iawn am ei cholled. Bryd hynny, yn y pedwardegau, doedd dim modd cysylltu ar y ffôn, a byddai pawb yn ardal Cross Hands a'r Tymbl yn gwybod yn iawn bod yna newyddion drwg i ddod i ryw deulu wrth i fforman a rheolwr gwaith glo Mynydd Mawr Rhif 3 gerdded yn araf, ond gyda phwrpas, ar hyd y ffordd fawr i lawr y cwm. Deuai'r gwragedd allan o'u tai yn eu pryder, gan ofni'r gwaethaf – nes eu gweld yn gorffen eu taith wrth ddrws Mam-gu:

(*wedi'r drychineb yng nglofa Gleision, 2011*)

Daw ambell ddydd fel bollt
yn atgof mai chwa dan ddrws
sydd rhyngom a byw. Ddoe
glowyr dan ddaear yn trengi,
a minnau'n cofio geiriau cynnil
fy mam am reolwr y gwaith
a'r fforman yn cerdded trwy'r
pentre i'w chartref yn 1947.

('Y Glwyd', *Murmur*)

O fewn blwyddyn wedi'r golled, ymgartrefodd gyda ni ac, o dro i dro, cawn fy nghyffelybu iddi hi o ran cymeriad. Naill ai yr oedd yn fudan neu'n wedwst, heb ddweud yr un gair am oriau lawer, neu yr oedd yn byrlymu o hanesion, yr hyn a alwai fy nhad yn 'ffrasys'. Yn yr un modd, mi etifeddais y reddf honno o fod mor dawel yn fy arddegau nes peri ychydig o ofid i'm rhieni. Bob amser swper byddai fy nhad yn ceisio tynnu sgwrs ac yn mynnu yn awdurdodol bod yn rhaid 'clywed fy llais' cyn y cawn godi o'r bwrdd. Flynyddoedd wedyn, mae'n rhaid gen i, byddai wedi dymuno peidio â chlywed fy llais gan mai merch dymhlestlog oeddwn a brwydrau Cymdeithas yr Iaith yn golygu y byddwn yn ymgyrchu'n barhaus a hwyrach yn llawer rhy barablus.

Llun teuluol ar achlysur ymddeoliad fy nhad yn weinidog yng nghapel Peniel, 1979: Dad, Sian, Mam, fi a Geraint

Ond am y mudandod llencynnaidd, bu hynny'n boendod mawr i mi. A dim ond ar ôl dechrau ysgrifennu y llwyddais i ymryddhau a dod o hyd i'm llais. Un o drafferthion llencyndod yw'r ymdeimlad nad oes gan blentyn – oherwydd y mae yn dal i gael ei gyfrif yn blentyn – ddim i'w ddweud wrth y byd, a llai fyth o awydd i fynegi neu wefuso teimladau am y byd a'r betws. Wrth y bwrdd swper yr oedd eraill a chanddynt lawer mwy o reswm dros fod yn hyglyw. Roedd fy mrawd yn un ffraeth ei dafod a'm chwaer wyth mlynedd yn hŷn na mi yn siaradus. Prin ond difyr oedd cyfraniadau llafar fy mam, a fyddai o dro i dro yn cyfrannu rhyw sylw digri. Am fy nhad, ef wedi'r cyfan oedd y penteulu ymhob ystyr a'i Gymraeg yn goeth a'i storïau'n ddifyr. Sut y medrwn i gyfrannu i'r achlysuron hwyrnosol gydag unrhyw arlliw o sylwedd? A dyna eni'r gerdd 'Gair o Brofiad' yn yr wythdegau, a minnau yn cofio'n ôl wrth fwrdd yn swpera mewn gŵyl ysblennydd yn Santiago de Compostela ac yn gorfod hwylio'r sgwrs a difyrru criw o feirdd brodorol. Mor wahanol oedd fy myd fel bardd a ystyrid yn un 'rhyngwladol' a disgwyliadau gwahanol iawn oedd gan y rhai a'm gwahoddodd i'w gŵyl. A dyma'r gerdd ganol nos yn fy neffro ac yn mynnu ei llais eironig ei hun:

Yn ddeuddeg oed, bwrdd llawn bwrn oedd;
minnau heb ddim i'w ddweud wrth neb,
dim glaw mân mynydd o siarad,
na chymylau caws a maidd llawn rhyfeddod;
llai fyth ambell storm o stori.
Mudan own, yn cwato mewn cnawd.

'Beth am roi inni air o brofiad?' meddai 'Nhad
uwchben lluniaeth llawn llawenydd;
a chawn fy hun yn estyn gronyn,
yn ofnus ddal y dur yn uchel
heb sarnu. Ond anos torri gair
na rhoi cyllell lem drwy gig rhost;
mwy poenus pasio gair neu ddau
na dal dysgl boeth; didoli'r pys a'r ffa.

Ympryd i un oedd iaith.
Heddiw, daw'r ddihareb yn ôl:
y gair o brofiad oddi ar frest
uwch ffest rhyw westai.
Cans feddylies i erioed
y treuliwn oes yn dogni geiriau.

Bellach, un fudan fodlon wyf,
yn eistedd uwch bwrdd a'i fwrn
heb farn heblaw gormodedd.
Eto i gyd, barus wyf
am friwsion sy'n ddim
ar liain bwrdd, o'u hysgwyd,

ond geiriau yn nannedd main y gwynt.

('Gair o Brofiad', *Perfect Blemish/ Perffaith Nam*)

Ympryd i un yw iaith o hyd gyda llaw, a hynny uwch myfyrdod hir. Dyma gerdd sydd yn crisialu fy mhlentyndod, yn dwyn i gof y teimlad amherffaith, y nam o fethu â chyfathrebu hyd yn oed gyda'r agosaf a'r anwylaf ataf, sef fy nheulu fy hun. Yr ymddieithredd hwnnw – er na allwn roi enw felly arno chwaith. Yr anwybod, efallai, fel pe bawn yn gymeriad mewn trasiedi Roegaidd yn dioddef defod *sparagmos*, y ddefod o'm darnio, neu fel y cymeriad Lambert Strether yn *The Ambassadors*, Henry James, sy'n datgan wrth Maria Gostrey: 'I'm a perfectly equipped failure'. Nid yw mudanod ymhell i ffwrdd o'n chwedlau ychwaith pan feddyliwn am y rhai a ddaw o'r Pair Dadeni yn Ail Gainc y Mabinogi, yn fyw ond yn fud, neu'r ffordd y bydd Rhiannon a Pryderi wrth gyffwrdd â'r pair yn y drydedd gainc neu'r ffordd y dygwyd lleferydd Pryderi oddi arno wrth ymaflyd â'r cawg aur ar lan y ffynnon.

Fy niwrnod cyntaf yn Ysgol Ramadeg Pontardawe

Sian a minnau

Ond os methwn â chyfathrebu ar lafar, daeth sgriblo geiriau yn gyfaill hawdd ei gael! A chofiwn am Mam-gu yn datgan gyda balchder fy mod yn dilyn dawn ei theulu gan ddweud bod Martha Llwyd yn perthyn i ni a'i bod yn fardd ac emynydd, ac i William Williams Pantycelyn ganmol ei gwaith a chyhoeddi un o'i hemynau. Wnaeth hyn fawr o argraff arnaf ar y pryd ond flynyddoedd wedyn, bu rhai wrthi yn ceisio ailsefydlu Martha Llwyd fel emynydd o bwys. Cyhoeddodd Fflur Dafydd, fy merch, gân amdani mewn sioe gomisiwn gan y Theatr Genedlaethol. Rhyfedd meddwl iddi ei mawrygu mewn ffordd na wnes i ac felly, dyma ei chydnabod yn

Tair cenhedlaeth: Mam, Mam-gu a minnau

awr fel emynydd o flaen ei hamser – Martha Llwyd 1766–1845 o Lanpumsaint:

Heb ddysg, heb ddim,
Heb fodd o roi gair ar bapur gwyn,

Heb fodd o deithio ymhell,

Ond eto fe hedodd dy eiriau di
A nythu yn glyd yn ein canghennau ni.

Martha, welais i 'rioed dy lun,
Ond eto, rywsut, dwi'n dy nabod di.
Martha, deimlais i 'rioed dy wres

Gyda Fflur ar achlysur rhyddhau ei CD *Un Ffordd Mas*, a phan gyhoeddwyd *Perfect Blemish/ Perffaith Nam*, 2007

Ond mae'r gangen hon yn dy ddwyn yn nes.
Martha, nawr dwi'n gweld yn glir
Mai'r cyfan dwi 'di bod cyhyd
Yw brigyn ar dy goeden di.

Martha fwyn,
Ai'r un oedd dy gân, ai'r un dy gŵyn,
Ai'r un oedd y tân yn dy enaid di?
('Martha Llwyd', *Ffydd, Gobaith, Cariad*)

***

Ond yr oedd un nam arall a fu'n erledigaeth ar fy llafaredd gan fy ngwneud yn berson tawedog ac encilgar. Nam lleferydd. Methwn rolio'r 'r'. Treuliwn ddyddiau lawer yn ceisio llunio geiriau i stori neu gerdd heb ddefnyddio yr un 'r' rhag ofn y byddai'n rhaid ei darllen ar goedd yn y dosbarth, ond nid oedd modd dianc rhag y fannod 'bresennol ym mhob lle'. Unwaith eto, roedd y nam yn rhywbeth a dynnai sylw at yr anghaffael ynof a bron na theimlwn ei fod yn fy nghondemnio i oes o fudandod. Pe na ddywedwn air o'm genau, yna fyddai neb yn gwybod am fy ffaeledd. Gweddïais am ddod o hyd i'r allwedd a fyddai'n rhyddhau fy nhafod. Gallaf gofio'r wefr o ymarfer yn fy stafell wely ac un noson feddwl i mi redeg y gair 'rrrr', gan ei

Trip yr ysgol Sul i'r traeth

ddweud eto, ac eto. A do, mi ddywedais a chlywais eco'r llythyren drosodd a throsodd hyd nes fy mod yn fy seithfed nef yn moli'r fath lythyren hyfryd. Mewn cerdd o'r enw 'Nam Lleferydd', gorffenna'r ail hanner fel hyn:

Nes un dydd, daeth ffrwydrad.
Dannedd o ddeinameit –
taro'r parwydydd â dirifedi 'ngeirfa –
'rhyfeddodau'r wawr' o fewn fy nghlyw
yn rhwydd. Minnau'n rhydd
i ledu seiniau yn fy ngwddf –
consertina'r enaid yn ddihualau.

Ac yn y wyrth,
rhedeg rownd gororau'r geg
a wnawn. Heb gymorth.

Ond weithiau pan lefaraf,
deallaf beth yw dieithredd
a phob sain, yn staen ar fyw;
a bydd y Gymraeg
o hyd, yn iaith cyllyll a ffyrc,
yn iaith cerrig calch,
yn Gymraeg Sioni Wynwyns
neu'n llediaith laith

wrth i mi godi'r *rrr* i'r to
yn anghaffael nad oes ildio iddo.

('Nam Lleferydd', *Perfect Blemish/ Perffaith Nam*)

Amlhau a wna namau drwy ein bywydau ond roedd namau bore oes yn rhai a argraffwyd ar gof a chadw. Ond yr hyn sy'n rhyfedd yw hyn: pe byddech yn gofyn i mi pa un a fyddai'n well gennyf, cael bod

Gyda Sian a Geraint – y ddau yn fyfyrwyr ar y pryd

mewn cwmni bach neu fawr yn darllen fy ngherddi neu ar lwyfan yn cael perfformio fy ngwaith neu yn eistedd mewn stafell dawel ar fy mhen fy hun, ofnwn mai'r olaf a fyddai'n apelio fwyaf ata i. Alla i ddim cofleidio cred Pascal am anallu dyn i eistedd ar ei ben ei hun yn dawel mewn stafell. Dywed y bardd o Chile, Gabriela Mistral, ei bod wedi ysgrifennu fel y mae'n siarad – mewn unigedd. Dyna'r drefn gennyf innau wrth lefaru'r geiriau, eu mentro ar ddalen, ond rhaid i'r glust eu clywed yn seinio'n glir. 'Pam wyt ti'n gweddïo o hyd,' meddai fy mab yn blentyn yng nghefn y car wrth fy nghlywed yn parablu geiriau. Ailwefru'r profiad a wnawn wedyn ar ddalen a'r profiad yn un atgyfodus. Rwy'n credu bod yna ddwy bersonoliaeth ynghlwm yn y broses o greu: y myfi meidrol, gwallus a'r un arall honno sydd yn ceisio rhywbeth uwchfodol bron ond ar yr un pryd yn dwrdio'n dawel bach y drafftiau cyntaf. Bydd pob cerdd yn mynd trwy'r felin bapur nes cyrraedd sefyllfa lle y bydd y gerdd yn medru gorwedd yn orffenedig.

Cychwynnais gyda'r bwlyn a'r pwysau ar fy moch ond gallaf weld, o edrych yn ôl, imi fod yn berson hynod fewnblyg a dwys gyda phwysau'r byd allanol ar fy ysgwyddau. Pwysau digwyddiadau fel y rhyfel yn Fiet-nam, anghyfiawnder Tryweryn a'r Arwisgo yn 1969. Yn rhyfedd iawn, bu i'r achosion hynny fy ysgwyd o'm stad dawedog, fewnblyg a'm gorfodi i weithredu yn agored ac yn gyhoeddus, rhywbeth efallai oedd yn wrthun i mi mewn gwirionedd. A dyna'r stad y llwyddais i ddychwelyd iddi wrth fynd yn hŷn. Yn fwy felly, po fwyaf y mae'n byd gormesol o gymdeithasol yn cael ei wasgu arnaf. Dyna'r seintwar y deuthum iddi, hyd yn oed os bu'r siwrne yn un droellog. Hwyrach imi ddeall hyn mewn cerdd a luniais yn fy ugeiniau cynnar. Yn 'Afon Cenarth' haeraf:

Mae dwy ochr i fywyd,
fel sydd i afon Cenarth;
y naill mor anystywallt
yn byrlymu rhaeadrau
a ffrwydro o'r ffrydiau –
frwydrau a breuddwydion gwyn;
a'r ochr arall, yn ymlacio
ar obennydd y dŵr
di-drachywedd o lonydd,
yn llwydo'r glesni
yn y liang agored,
heb gyffro na grym;
ofnaf wrth loetran ar y bont,
na allaf ddewis
ragoriaeth y naill ar y llall:

ond gwelaf cyn noswylio
mai rhan o'r un edau
dros gerrig rhyddid yw'r ieuengaf:
yn pwytho'i ffordd drwy ei defnydd hi o fywyd.

('Afon Cenarth', *Mwyara*)

Pan luniais y gerdd uchod nid oedd modd yn y byd i mi ddewis distawrwydd, hyd yn oed pe dymunwn hynny. Roedd achosion cynllwynio Cymdeithas yr Iaith ar y gorwel a'm cymar wedi ei gyhuddo o gynllwynio i ddiffodd mast Blaen-plwyf am ei fod yn Gadeirydd Cymdeithas yr Iaith. Tua'r un pryd hefyd, collais blentyn yn y groth. Roedd bywyd yn orlif o gyffro a gofid a phrin oedd yr amser i ymlonyddu. 'Bardd unigedd yw sy'n llawn hyder mewn cân' yw'r llinell a luniais ym mroliant *Mwyara*, 1976. Ond dyhead ydoedd, efallai, yn hytrach na realiti ynghanol cyffro'r cyfnod.

Wedi'r cyfan, pan arestiwyd fy ngŵr, Wynfford James, yn 'Achos Blaen-plwyf' rhoddwyd pwysau arnaf gan yr heddlu i'w gael i gydweithredu neu fe fyddai, yn eu geiriau hwy, 'yn cael ei garcharu am bum mlynedd ar hugain'. Dyna gip yn unig ar y math o dactegau y bu'n rhaid i mi ddelio â hwy.

2
DYLANWADAU

Wrth edrych yn ôl ar fy ngwaith cynnar, gellid gweld mai bardd 'achosion' oeddwn ar y dechrau, un yn cael ei chyffroi gan achos neu sefyllfa nes teimlo'r rheidrwydd i roi trefn ar deimladau trwy ysgrifennu. Roedd 'credu' mewn gwerthoedd arbennig yn rhan o'm magwraeth fel merch y Mans. Iaith y Beibl oedd fy iaith innau wrth ddysgu adnodau a ffoli ar eu godidowgrwydd. Daw adnodau lu i'r meddwl o hyd, fel y canlynol o Eseia 1:18: 'Pe byddai eich pechodau fel ysgarlad, ânt cyn wynned â'r eira; pe cochent fel porffor, byddant fel gwlân'. Y fath goethder a chynildeb. Roedd y Beibl yn seicedelig ac yn llawn lliwgarwch i mi yn blentyn wrth gyrraedd llencyndod. Bodiwn fy llyfr emynau hefyd a ffoli ar eiriau fel 'rhosyn Saron', a 'wele'n sefyll rhwng y myrtwydd'. Yna, darganfod Ann Griffiths. A hithau'n ferch. Felly yr oedd merch, ie, merch, yn medru canu hefyd, hyd yn oed os methwn â chredu yn y llinell: 'Gwna fi fel pren planedig, O fy Nuw'.

Ystyr arall oedd i bren yn ein geirfa ni wrth feddwl am rywun fel 'pren'. Ond wedi ystyried, dod i ddeall fod pren planedig yn rhywbeth amgen na hynny: yn solet, yn 'ir ar lan afonydd dyfroedd byw'. Cofio rhyfeddu at y gair 'ir' a'i ddefnyddio mewn llawer i gerdd anorffenedig. Blasu geiriau oedd fy nghof cyntaf gan ddymuno chwarae â hwy, a phob un fel marblis ar lawr yn cyd-daro â'i gilydd.

O gyfnod yr arddegau cynnar, mi restrwn hoff eiriau, craffu ar eiriau newydd bob dydd a cheisio eu defnyddio orau y medrwn. Nodi dywediadau gwirebol eu naws wedyn, a sugno yr hyn a allwn o eiriaduron. Dysgu fy hun am bynciau a allai fy ysbrydoli rywbryd gyda'r nod o droi geiriau yn ddelweddau llachar. Hyn oll y tu allan i furiau ysgol. Hon oedd yr unig ddysg a'm cadwai ar ddihun gyda'r nos.

Fe wyddai Beda, fil o flynyddoedd yn ôl, sut oedd canfod delweddau. Beth yw'r lleuad? Onid llygad y nos, rhoddwr y gwlith, rhagwelydd y tywydd? Beth yw llong? Tŷ, meddai, sy'n symud, llety sy'n teithio gyda'r gwesteion, crwydrwr heb olion traed. Ac fel y mynach, dysgais sut i holi ac ateb, gan ymestyn yn uwch wrth estyn a chywain geiriau a syniadau newydd. Twrio o'r newydd fel cyw bardd neu bryf llwyd am ddafnau gloyw yn y pridd. Cyfnod dwys oedd llencyndod i mi. Ond darganfod y gallu i greu oedd fy ffordd tuag at ddysgu sut oedd byw.

Bu fy mhrifiant fel bardd yn un oedd yn cydredeg â'r cyfnod o fod yn fyfyriwr. Treuliwn oriau lawer yn mireinio cerddi, tra oedd ysgrifennu traethawd unigol yn rhywbeth beichus o gydymffurfiol. Yn yr ysgol, byddai fy ysgrifau'n cael eu beirniadu am fod yn rhy farddonol-ddelweddol, er cael marciau da amdanynt. Ond fel bardd yr edrychwn ar y byd hyd yn oed bryd hynny, mewn delweddau, gyda'r awydd i weld y geiriau'n codi fel burum.

Yn stydi fy nhad, deuthum o hyd i lyfrau a'm cyffrôdd. Roedd silffoedd llyfrau fy nhad yn cyrraedd y nenfwd ac yno y deuthum ar draws enwau hudol fel Leslie Weatherhead, Spurgeon, F. W. Boreham a Simone Weil. Daeth yr olaf i fod o'r pwys mwyaf ond bryd hynny, ni wyddwn mai merch ydoedd. Byd dynion oedd y llyfrau hyn: dynion deallus, mi dybiwn, wrth imi droi tudalennau heb ddeall fawr o'u cynnwys. Gyda llaw, cadwai fy nhad arian sychion, rhyw bunt neu chweugain, y tu mewn i gloriau Albert Schweitzer, a phan fyddai'n fain arnom, sef yn aml – gan nad oedd dyddiad penodol pan fyddai fy nhad yn cael ei gyflog – byddai Mam neu 'Nhad yn siŵr o ofyn, 'Oes rhywbeth yn yr Albert?'

Ond nid diwinyddion a chenhadon yn unig a lechai yn llyfrgell fy nhad. Yno y darganfyddais feirdd Cymraeg a'm harwr pennaf oedd T. Gwynn Jones, un sydd yn dal i fod yn destun cysur imi, o'r cerddi hirion cynnar hynny i'r cerddi ysgogol diweddar yn *Y Dwymyn*. Dysgais ar gof, er mwyn fy mhleser fy hun, rai o'i gerddi, ac wylo gyda Cynddilig, galaru ar ôl Madog. A phan oedd fy nhad allan o'r tŷ, yno y treuliwn oriau'n synfyfyrio am fywyd, yn aml mewn perlewyg wrth ddarganfod gweithiau C. S. Lewis fel *The Four Loves*. Onid oeddwn fel geneth ifanc am wybod mwy am y gwahanol fathau o gariad? Heb sôn am geisio deall ei lyfr *The Problem of Pain*, teitl a wnâi imi bendroni llawer ynghylch dylanwadau rhyfedd fy nhad.

Roedd i'r stydi gadernid rhag y byd; bron nad caer ydoedd gyda'i desg derw, un sydd erbyn hyn yn breintio fy nghartref innau. Cadwai bapur sbâr at bob pwrpas, a byddwn yn whilmentan ac yn agor y papurau a daflwyd i fasged sbwriel o wiail i weld beth oedd arnynt. Go brin imi ddeall mai tameidiau o bregethau oeddynt. Yn y stafell hon, roedd arogl Three Nuns yn llenwi'r aer ac ambell bibell wedi ei gosod yn ddestlus ar y silff pen tân. Lloches a seintwar ddiogel oedd y lle hwn a man yr ymgollwn ynddo pan fyddai allan yn bugeilio, gan dwrio'r silffoedd a'r drorau. A darganfod un dydd y bocs bach o ledr glas tywyll a chlasbiau pres iddo. Ac ynddo, rhyfeddod y llestri cymun bychain o wydr. Un o'r atgofion cynharaf sydd gennyf yw sylweddoli bod tadau fy ffrindiau i gyd yn mynd mas i weithio: gwaith glo, gwaith tun, gwaith dur. Ond roedd fy nhad yn gweithio yn y tŷ gyda llestri tŷ bach twt yn ei feddiant. Daeth y gerdd 'Y Cymun Bychan' i fod wrth feddwl am ddwylo fy nhad yn ei weinyddu wrth erchwyn gwely y rhai ar ddarfod, er mai dwylo eraill yw'r symbyliad cyntaf:

Gad inni weld y dwylo
Dihalog yn y wledd.
T. Elfyn Jones

Ef oedd yr unig ddyn y gwyddwn amdano gyda set o lestri diddolen, tŷ bach twt.

Ambell brynhawn ac yntau'n bugeilio awn i'w gorlan.

Yno, arllwyswn lond llygad o ddŵr glân mewn parti unig.

Un dydd, gydag ôl deigryn yng ngwaelod dysgl, eglurodd i mi mai llestri'r claf oeddynt.

Cofiais am y gwin, lliw arennau, a'r bara ewinedd.

Soniodd am ddiwallu y rheiny oedd yn ddarpar ymadawedig.

Meddyliais droeon, pa mor bell oedd siwrne'r sychedig.

Weithiau, cyn cysgu, dychmygais yfed o'r llestr a'i risial ar fy min cyn cau fy llygaid a dal fy anadl wrth amseru marw.

Heddiw, mae'r llestri'n segur, ôl gwefus a bys wedi ei lanhau megis glanweithdra angau.

Ond saif y llun o'r Bugail yn bendithio bwrdd.

Ef a fu â'i ddwylo mawr yn trin creaduriaid.

A'r lluniaeth o'r dwylo dihalog yn cynnig dolen esmwyth mewn llestri sy'n ddrylliedig.

('Y Cymun Bychan', *Merch Perygl*)

* * *

Ond bardd unigolyddol oeddwn ac mor breifat â'r dyddiaduron dalen-y-dydd a sgrifennwn er 1968. Byddwn yn cyhuddo fy mam-gu o'u darllen weithiau wrth ei gweld yn dod allan o'm stafell wely ond ei hamddiffyniad oedd: 'Sai'n deall dy lawysgrifen!' Ond cawn fwynhad o'r munudau hynny o gofnodi holl rwystredigaethau bywyd, yr hidlydd gorau i fardd ar ei brifiant. Gorfodai rywun i werthfawrogi'r weithred o gofnodi'r dydd, hyd yn oed os oedd yr ysgrifennu'n ddigon cyffredin. Bod yn bresennol yn eich gwaith bob dydd yw mantra'r gwir fardd, a'r ofn o fod yn ddifater am fywyd yn ei ddwysbigo:

> Ofn cyffredinedd sy'n fy nhroi yn fardd,
> Ofn difaterwch, heb weled hyll na hardd.

Gorffen y gerdd honno gyda'r cyfnod protestiol yn ei amlygu ei hun:

> Ond byw i'r eithaf, hyn ddeisyfaf i,
> A dined gwyrdd y brotest, hyd yr olaf gri.
>
> ('Ofn', *Merch Perygl*)

Er bod y dyddiaduron wedi amrywio gyda'r blynyddoedd, nid oes llenyddiaeth ynddynt ond yn hytrach arllwysfa o eiriau sy'n chwilio am syniadau, wrth nodi digwyddiadau llosg y dydd. Yr unig anfantais o lunio dyddiadur yw y bydd profiadau wedi eu dihysbyddu yno yn lle oedi yn y galon a throi, maes o law, yn gerddi gorffenedig. Ond a yw cerdd yn gorffen, neu, fel y dywedodd un bardd, yn cael ei gollwng? Yn y cyfnod hwnnw fel o hyd, yr oedd rhywbeth am grynoder barddoniaeth a apeliai ataf. Dyna pam y'm cawn fy hun yn darllen barddoniaeth Saesneg yn fy arddegau gan ymhyfrydu yng ngwaith beirdd fel Yeats, Robert Frost ac Edwin Muir a ganodd am ei wlad, yr Alban: 'This is a difficult land./ Here things miscarry/ Whether we care, or do not care enough'. A dyna'n union a deimlwn am Gymru. Yr oedd rhyw gyffro imi yn y dull ymgomiol hwn heb addurn y gynghanedd gyda'u rhythmau agos-atoch yn curo yn fy nghalon. Ai dyna pam, tybed, imi fwynhau yr her o lunio cerdd Saesneg yn bymtheg oed fel tasg gwaith cartref am y rhyfel yn Fiet-nam, gan ei llunio yn y mesur rhydd heb wybod, bryd hynny, mai ymgais at farddoniaeth ydoedd?

The Vicious Circle

They lay beneath the embracing sun
sipping black coffee - drugged
whilst their eyes swam
in an ocean blue Utopia
the rest sat crusty and parched
of blood
they came to the other world
which was not called heaven.

far away there lay a nation's bed
where the livid tide of faith
came and went with the setting sun,
they lived in peace till ... and yet
there was never a day
without its constant beat;
there, lay nature once
now, the naked flesh .. torn.

they fought madly
in the mire lay corpses:

this was only the prologue
of the stammer and stalk of war.
they stood perversely
knowing they cannot kill
the man-made whirpool.

So they lay helpless
their opium eyes reflecting
on the rainbow of a dying day:
dying, for they failed
to overcome the curling way
of fate, or was it God?

they tried in vain
drowning in unwitting pain,
they died in the arms of the biased tries
left, to live under the embracing sun.

Menna Elfyn V

Wedi i mi gyflwyno'r gerdd yn dwyn y teitl 'The Vicious Circle' daeth ysgytwad sydd wedi ei serio ar fy nghof hyd heddiw. Cafodd pob disgybl eu cerddi yn ôl wedi eu marcio ond gofynnodd yr athrawes Saesneg imi aros wedi i'r gloch ganu, ar ddiwedd y wers. Cefais sioc fy mywyd pan haerodd imi ddwyn y gerdd o ryw lyfr neu'i gilydd a phwy oedd y gwir awdur, beth bynnag? Fe'm trawyd yn fud. Sut mae modd profi mai chi yw awdur eich gwaith? Daeth yr atgof chwerw hwnnw yn ôl imi wrth lunio'r cofiant *Optimist Absoliwt* i Eluned Phillips yn 2016. Fel disgybl ysgol yn y bumed flwyddyn, roeddwn wrth fy modd yn darllen llenyddiaeth Saesneg. Afraid dweud, wedi'r digwyddiad hwnnw, na ddewisais Saesneg fel pwnc Safon A. Er, hwyrach mai achubiaeth ydoedd, gan wneud imi amau ysgrifennu cerddi yn yr iaith fain byth wedi hynny.

* * *

Ond ni wnaeth hynny leihau fy hoffter o farddoniaeth Saesneg. Darllenais R. S. Thomas, ar ôl ymgolli yn swyn geiriol Dylan Thomas. Yn ddiweddarach, dod ar draws barddoniaeth Edward Thomas a theimlo grym llesmeiriol y tri bardd. Bellach, ble bynnag yr af ar draws y byd, enwaf y tri Thomas a mynnu bod eu cerddi gyfwerth ag unrhyw farddoniaeth a luniwyd erioed mewn unrhyw iaith, i awchlymu'r meddwl a thyneru'r galon. Ofnaf imi wrth ddechrau ysgrifennu ddynwared goreiriogrwydd Dylan Thomas, ond bellach dymunaf osio fwyfwy at foelni coeth R. S. Thomas fel dull o gyfansoddi.

A'r beirdd Cymraeg? Dylwn nodi tri arall a ddylanwadodd arnaf: R. Williams Parry, T. Gwynn Jones a Waldo Williams. Ond i egin fardd, mae edmygu gwaith mor odidog yn llyffethair. Sut fyddai modd imi geisio anelu at eu hysblander hwy? Wedi ymlafnio y daw rhywun i sylweddoli bod i bob bardd ei lais unigryw ei hun ac mai hynny yw un o gyfreidiau'r bardd. Canu fel neb arall a derbyn y llais oddi mewn sy'n crefu am ei glywed.

Bardd coronog Eisteddfod Ieuenctid Bro Ffestiniog 1968. Selwyn Griffiths oedd y beirniad a ddyfarnodd imi'r wobr gyntaf am gerdd *vers-libre* 'Yr Oes Fodern'.

Ond o'r stydi honno i siopau ail-law fel Ralph yn Abertawe yn y chwedegau, mae llyfrau wedi bod yn rhan annatod o 'mywyd, ac fel y dywedodd Martin Buber (enw arall ar silff fy nhad) yn ei ysgrif 'Books and Men': 'Books may be read and savoured but only for a time – they are of the "other world".' Ffordd yw o ddod o hyd i arall fyd – sydd yno o fewn ein gafael.

Lledodd fy niddordeb ym maes barddoniaeth wrth ddarganfod llyfrynnau bychain Penguin mewn cyfieithiad. Roeddynt yn rhad i'w prynu a rhai o brif feirdd Ewrop yno megis Popa, Pavese, Miroslav Holub, a Wislawa Szymborska. Flynyddoedd yn ddiweddarach, cymharwyd fy ngwaith â'i gwaith hithau. Yn y llyfrau a brynais yn ystod fy llencyndod, gwelir ar ymyl y ddalen fy ymgais tila mewn pensel i'w trosi. Rhaid fy mod, heb yn wybod i mi fy hun, yn ceisio cysoni eu profiadau barddol hwy â'm mamiaith innau gan wneud eu cerddi yn ystyrlon i mi fy hun yn gyntaf. Ond aeth sawl degawd heibio cyn imi fodloni ar weld fy ngwaith fy hun mewn cyfieithiad Saesneg.

Dyna ryfedd yw troeon bywyd. Dod ar draws y *Penguin Book of Welsh Poetry* wedi ei olygu gan Tony Conran a darllen y rhagymadrodd gan gael fy swyngyfareddu ganddo. Mewn ysgol uwchradd Seisnig ei hiaith a'i hagwedd, prin oedd fy nealltwriaeth o farddoniaeth Gymraeg a dyna ryfedd imi agor y drws ar farddoniaeth Gymraeg wrth ddarllen ei hanes yn y llyfr hwn. Prin y meddyliais y byddai fy ngherddi i, flynyddoedd yn ddiweddarach, yn cael eu cyfieithu gan yr awdur hwnnw, y rhyfeddol Tony Conran. Bu yn fwy na chyfieithydd hefyd, wrth inni feithrin cyfeillgarwch trwy farddoniaeth yn y ddwy iaith, a bu'n eiriolydd tanbaid hefyd dros fy ngwaith yn erbyn fy ngwrthwynebwyr!

Ond dylanwadau digon brith a apeliai ataf, rhai a gafodd eu collfarnu a'u coleddu gyda'r un eiriasedd. Wrth gwrs, mae dylanwadau yn newid fel y mae chwaeth a chwant yr awdur i ehangu ei ddealltwriaeth o lenyddiaeth yn esblygu.

Wrth nodi rhai o'r bobl a ddylanwadodd arnaf, mae'n ddiddorol sylwi mor debyg ydynt o ran anian a gweledigaeth, er iddynt fyw trwy gyfnodau tra gwahanol.

Henry David Thoreau, *Walden*

Trois at lenyddiaeth feudwyol am fy mod yn ymgyrchydd swil. Cofiaf y wefr o ddarllen *Walden*, Thoreau am y tro cyntaf a chlywed am ei awydd i fyw yn annibynnol ger Llyn Concord yn America. Mae rhai o'i linellau yn fy nghof o hyd, megis 'The mass of men lead lives of quiet desperation'. Ble bynnag y teithiaf iddo, mae'r llyfryn bach Shambhala Pocket Classics yn cael ei roi yn fy mag ar gyfer y munudau hynny pan wyf am anadlu eto:

> However mean your life is, meet it and live it; do not shun it and call it hard names. It is not so bad as you are. It looks poorest when you are richest. The faultfinder will find faults even in paradise. Love your life, poor as it is.

Cofiaf, a minnau ar ymweliad â'r llyn yn Walden i mi oedi bob cam, ail-fyw ei gerddediad yntau. Yn sydyn, clywaf 'Move over, lady' wrth i lonciwr diamynedd wibio heibio i mi. Hyd yn oed yn y man lle'r oedd Thoreau â'i fryd ar fyw mewn cynghanedd â'r byd, myn dynion dresmasu ar ei freuddwyd drwy wneud ras o fywyd.

Pan ofynnodd yr Athro Brinley Jones imi ddewis llyfr a wnaeth argraff arhosol arnaf ar raglen deledu *Troi'r Dail*, dewisais Thoreau am iddo lwyddo i gyplysu'r angen am lonyddwch gyda'i ddyletswydd fel dinesydd. Treuliodd noson mewn carchar am beidio â thalu trethi fel protest yn erbyn y rhyfel gyda Mecsico. Dylanwadodd ar heddychwyr eraill yn eu dydd; yr enwocaf o'r rhain oedd Mahatma Gandhi.

Cyfunodd y bywyd tawel, myfyrdodus gyda'r angen am sefyll dros egwyddor. Roedd yn esiampl berffaith imi mewn cyfnod cythryblus oherwydd pan oeddwn am ymneilltuo o'r byd a dilyn ôl ei droed, byddwn yn anesmwytho. A phan fyddwn ymysg trybestod dyn a byd, byddai'r dyhead am ymryddhad o ofalon brwydro dros iaith yn lledu drosof fel nudden.

Daniel Berrigan, *America is Hard to Find: Writings from the Underground and Prison*

Un arall a ddylanwadodd arnaf yn y cyfnod hwn oedd Daniel Berrigan, offeiriad a drodd y rhyfel yn Fiet-nam yn frwydr dros heddwch. Arwydd oedd y rhyfel iddo o fodolaeth trais yn y gymdeithas yn yr Unol Daleithiau, gyda phroblemau hiliaeth a thlodi yn isfyd anghyfiawn arall.

Ond y weithred enwocaf o'i eiddo oedd iddo ef, a'i frawd Philip, ddwyn ffeiliau drafft yn Catonsville, Maryland gan eu llosgi gyda napalm. Fe'u dedfrydwyd i dair blynedd o garchar ond diflannodd Berrigan am bedwar mis gan osgoi cael ei arestio a threulio'r amser gyda gwahanol rai a gydymdeimlai â'i weithred. Yn ystod y cyfnod hwnnw teithiodd ledled America gan gynnal cyfarfodydd heddwch, a chynnal datganiadau i'r wasg gan barhau i ysgrifennu llithoedd a cherddi.

Dywed yn *Night Flight to Hanoi* ei fod yn ymddiheuro i'w gyfeillion am ymyrryd â threfn dda gan losgi papurau yn lle plant. Dywedodd na allai, wir i Dduw, wneud fel arall, a hynny am ein bod yn glaf ein hysbryd. Mynnodd ei bod hi'n amhosibl gorffwys wrth feddwl am wlad a'i phlant yn llosgi. Ond wedi iddo lochesu am dri mis gyda thri deg saith o deuluoedd, anfonwyd ef i'r carchar am ddeunaw mis. Yno, yr oedd ei frawd Philip hefyd, ac aethant ati i ffurfio grwpiau trafod gyda'r carcharorion eraill gan ymgyrchu dros well cyfleusterau iddynt.

America is Hard to Find yw un o'r llyfrau a ddylanwadodd fwyaf arnaf, ynghyd â *The Bow in the Clouds* sydd yn dangos fel y mae'r 'Ymgnawdoliad yn ein gwysio i brisio o'r newydd einioes dyn'. Er cael ei enwebu ar gyfer Gwobr Heddwch Nobel yn 1972, hwyrach mai ei wobr fwyaf yw iddo sbarduno'r mudiad dros hawliau sifil, hyd yn oed os yw'r frwydr honno yn un barhaus yn America o hyd gyda Black Lives Matter. Lluniais bennod ar Berrigan yn *Oriel o Heddychwyr Mawr y Byd* (gol. D. Ben Rees, 1983).

Apeliai Daniel Berrigan fel personoliaeth ataf am iddo gyfuno bod yn offeiriad gyda'r rheidrwydd i weithredu anufudd-dod sifil. Ond roedd y ffaith iddo gyfleu ei genhadaeth mewn cerddi beiddgar yn ei wneud yn fardd arbennig:

> Swans herons Great Lakes I shall shortly be
> hard to find
> an exotic uneasy inmate of the Nationally Endowed
> Electronically Inescapable Zoo
> remember me I am
> free at large untameable not nearly
> as hard to find as America.

Thomas Merton, *The Seven Storey Mountain*

Ddiwedd y chwedegau, edmygwn bersonoliaethau fel Thoreau a Berrigan fel rhai o anian hollol unplyg wrth iddynt atgyfnerthu ynof yr awydd i sefyll dros y gwerthoedd a gyfrifwn yn rhai amhrisiadwy. Un arall o'r un bryd oedd Thomas Merton, mynach a ymneilltuodd o'r byd i feudwyaeth yn Gethsemani, Kentucky, heb anghofio na throi ei gefn ychwaith ar yr angen i ymladd yn erbyn anghyfiawnder. Gwnaeth imi ddyheu am fyw yn fwy ysbrydol, ac am y math o fyfyrdod a fyddai'n deillio o ddeall y byd yn well.

Dywedodd, un tro, yn y gyfrol *Contemplation in a World of Action*, y medrai'r ystad honno o ymneilltuo fod yn wahanol i bob person:

> I am not defending a phony 'hermit-mystique' but some of us have to be alone to be ourselves. Call it privacy if you like. But we have thinking to do and work to do which demands a certain silence and aloneness. We need time to do our job of meditation and creation.

Hwyrach y dylwn bwysleisio mai fel artist ac awdur y daeth Merton i amlygrwydd gyda gweithiau fel *The Seven Storey Mountain* a *The Sign of Jonas*. Gyda stori Jona a'r morfil mae'n gweld bod ei fywyd yn ei dynnu i un cyfeiriad a Duw yn ei dynnu at ffordd arall: 'I find myself travelling toward my destiny in the belly of a paradox'.

Yn rhyfedd iawn, er iddo fawrygu ei fyd mynachaidd yn abaty Gethsemani, treuliodd amser ar daith yn Ffrainc, yr Almaen a'r Eidal ac yn drasig, bu farw ymhell i ffwrdd o'i encil wrth gymryd rhan mewn cynhadledd yn Bangkok yn 1968. Yn ystod y daith honno i'r dwyrain ymwelodd â'r Dalai Lama ac arweinydd ysbrydol arall, Thich Nhat Hanh.

Ni wnaeth y gweithiau hyn esgor ar waith creadigol ynof ond yr oedd y cyfryw awduron yno fel cwmwl tystion i'm galluogi i ddyheu am y byd o lonyddwch yr ymdrechent hwy i'w wireddu, hyd yn oed os methodd y tri ag ymwrthod â gwasgfeydd annheg eu cymdeithas. Ymwrolwn wrth feddwl mor ddigyfaddawd oeddynt ar adegau wrth weithredu dros eu cydwybod.

* * *

Pan ddywedodd William Stafford, bardd o America, wrth ei dad ei fod am fod yn fardd, ateb hwnnw oedd hyn: 'Well, your work will be to try and find out what the world is trying to be'. Pan glywais y geiriau hyn, sylweddolais mai dyna roeddwn innau'n amcanu tuag ato wrth wneud ysgrifennu yn genhadaeth oes. Yr hyn a wnawn yw ceisio pipo trwy dwll y clo, megis, ar ein syniadau am fywyd tu hwnt i'r geiriau coeth mewn darnau o ryddiaith neu gerddi. Awchu hefyd am fod yn rhan o'r gyfriniaeth er gwybod mai antur unigol ydyw honno i bawb. A dyna'r rhyfeddod, onid e? Eisiau bod yn rhan o'r cylch ond casáu bod *yn* y cylch – eisiau bod ar y cyrion, yn wahanol, ar wahân, mewn unigedd, ond eisiau credu hefyd mewn cymdeithas a chwmnïaeth dda.

Teithio gyda Thoreau, Berrigan a Merton a wnes ac maent fel cymdeithion yn parhau i daflu eu cysgodion drosof. Ond pery'r cwestiynau am y ffordd y llwyddon nhw yn ystod eu bywyd i gyfaddawdu rhwng byd tawel o gyfansoddi a byd stormus gwrthdystio.

* * *

Beth yw bardd? holodd Kierkegaard unwaith. Dyn trist sy'n cuddio gwewyr yn ddwfn yn ei galon, ond pan yw'n llefaru gyda seiniau, ebychiadau, ymddangosant fel cerddoriaeth hardd. Y mae ei dynged fel y dynion hynny sy'n cael eu rhostio mewn cawg tarw efydd gan yr unben Phalaris a'r bloeddiadau heb gyrraedd y gwrandawyr ac yn seinio fel cerddoriaeth.

A daw pobl o gylch y bardd gan ddweud, 'Canwch eto' – sy'n golygu, er y bloeddiadau a'r dioddefiadau, i'r gerddoriaeth fod yn swynol.

Ai tynghedu fy hun i oes o loes calon yr oeddwn felly, yn sgil llathru geiriau yn gerddi?

* * *

Dynion o awduron oedd fy nylanwadau cyntaf, rhywbeth a oedd yn nodweddiadol o'r chwedegau a dechrau'r saithdegau. Aeth degawd arall heibio cyn imi synfyfyrio o'r newydd ar ddylanwadau merched o feirdd, ond yr oedd un person y byddai fy nhad yn dyfynnu o'i gwaith a arhosodd gyda mi – a merch oedd honno. Diwinydd. Gweithredwraig. Athronydd. A llawer mwy: Simone Weil. Merch, er gwaetha'r ffaith na fynnai Simone gydnabod ei rhyw mwy na'r ffaith ei bod yn Iddewes. Dyna'r math o bersonoliaeth gymhleth a oedd wrth fodd fy nghalon.

Simone Weil, *Gravity and Grace*

Rhan o atyniad Simone Weil i mi oedd y ffaith iddi fynnu rhan weithredol yng ngwleidyddiaeth y chwith, boed hynny yn rhengoedd y gwrthryfelwyr yn Sbaen neu wrth ymgyrchu ar ran y di-waith yn Ffrainc. Yr un awydd parhaus a olygodd iddi beryglu ei hiechyd bregus trwy weithio mewn ffatrïoedd, er nad oedd, yn abl iawn i wneud unrhyw waith corfforol. Ond roedd am brofi pob dim, er i hynny ei chael yn gwirfoddoli i fod yn wrthryfelwr ynghanol rhyfel Sbaen. Milwr anobeithiol ydoedd – llosgodd ei throed mewn crochan o olew berwedig wrth i rai baratoi bwyd ar gyfer y cwmni. Roedd yn jôc gan ei chyd-filwyr eu bod yn ei hofni hi yn fwy na'r gelyn pan oedd dryll yn ei meddiant gan nad oedd ei golwg yn dda. Ond roedd hi o ddifri ynghylch popeth a wnaeth, er mai yn ei llyfrau a'i dyddlyfrau y ceir ei thrysor mwyaf. Hwyrach y bu'n rhaid iddi fynd trwy'r felin o weithredu er mwyn dod i sylweddoli mor fethiannus ydoedd yn y perwyl hwnnw ac mai mewn llonyddwch i ysgrifennu ei meddyliau dwfn yr oedd ei gweithredoedd mwyaf llachar – rhai sydd wedi goroesi hyd heddiw.

Bu'n rhaid imi ddod i oed cyn deall ei gwaith, os gellir ei ddeall yn ei gyflawnder. Mewn oes mor faterol, mae ei holl athroniaeth yn gofyn i ni edrych o'r newydd ar ein perthynas ni â'r cread, ar ansawdd bywyd, ar hunan-werth yr unigolyn. Yn y cyswllt Cymreig a Chymraeg, goleuodd J. R. Jones a John Daniel rai o'i syniadau am yr angen am wreiddiau – *The Need for Roots* – ac mewn oes pan yw cenhedloedd a chenedlaethau ar gerdded, rhagwelodd ddadfeiliad ein gwareiddiad. A llwyddodd i gwestiynu'r cyswllt afiach rhwng y gwleidyddol a'r crefyddol, lle mae gwladwriaeth yn mynd yn grefyddol, neu'r hyn sy'n grefyddol yn troi'n wladgarol.

Troi at Simone a wnaf yn wastadol a hynny yn aml er mwyn myfyrio ynghylch ei syniadau, a cheisio uniaethu â'r bersonoliaeth a ddisgrifir yn aml fel y grym mwyaf dychmygus ac anghyffredin mewn syniadaeth wleidyddol a gweithgaredd cymdeithasol a gafwyd yn yr ugeinfed ganrif. Er imi lunio drama lwyfan amdani, 'Y Forwyn Goch', ar gyfer cwmni Dalier Sylw yn ôl yn 1992, mae'r ddeialog rhyngom yn parhau.

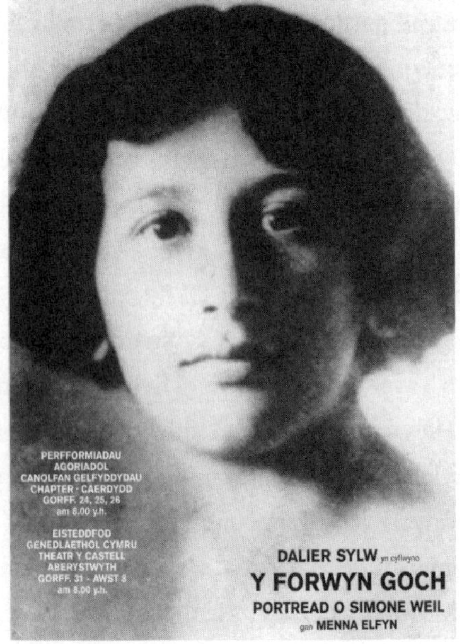

3
YMGYRCHYDD ANFODDOG

Cyfnod o gwestiynu oedd y chwedegau i lawer ohonom, a'r cwestiwn mwyaf dirdynnol yn dilyn darlith enwog Saunders Lewis oedd hyn: a allai'r iaith oroesi i'r unfed ganrif ar hugain? Byddai merched ar iard yr ysgol ramadeg yn gweiddi arnaf wrth fy nghlywed yn siarad yn Gymraeg gyda chyfaill: 'You're speaking a dead language.' Yr oeddwn yn boenus o ymwybodol o ddeubeth: bod yr iaith a siaradem ni adref yn un loyw, fel a ddisgwylid efallai gan deulu'r Mans. Ond yr oedd rhywbeth arall ar waith hefyd, a hynny oedd y geiriau yr oeddwn yn nhawelwch fy stafell wely yn eu llunio i mi fy hun. Go brin mai cerddi oedden nhw bryd hynny ond roeddwn wrthi'n cloddio yn y tywyllwch, yn aml iawn, am eiriau a wnâi i mi deimlo'n well o'u codi a'u nodi. Rhyw deimlad o ymryddhad. Rhyw ymateb i'r byd mewn cyfnod o newyn ysbrydol, efallai. Rhyw 'argyfwng gwacter ystyr', hwyrach, yn cyniwair ynof wrth edrych ar y byd a'i flinderau.

Arwahanrwydd yw un o gyfreidiau'r bardd ond bod ar wahân oedd stad berffaith fy mywyd yn eneth ifanc. Gwasgai holl waeau'r byd arnaf, a'r mwyaf o'r rhain oedd Fiet-nam. Hwn oedd y rhyfel teledu cyntaf lle gwelwn blant diniwed a thrigolion yn cael eu lladd. Yn ogystal â theimlo yn angerddol am yr hyn oedd yn digwydd filoedd o filltiroedd i ffwrdd yn enw America, teimlwn elfen o ymddieithredd oddi wrth bawb ynghylch yr anfadwaith hwn.

Diwrnod graddio, Menna Elfyn BA

'Pa ffordd bynng yr ei drwy fywyd, fe fyddi'n unig.' Dyna linell a nodais mewn braslyfr yn bedair ar ddeg oed fel man cychwyn cerdd na chafodd mo'i chwblhau. Ond ynghlwm wrth yr unigrwydd hwnnw, teimlwn orfoledd geiriau yn lliniaru'r dwyster. Credaf mai dyna oedd fy nealltwriaeth gynharaf innau o hiraeth, sef cyflwr nad oedd y sgriblwr – go brin y gellid ei galw'n fardd bryd hynny – yn ei adnabod na'i ddeall eto.

Fel yna y daeth ynof yr ymrafael rhwng dwy gynneddf: yr awydd i roi elfen o sadrwydd mewn geiriau i fyd y tybiwn ei fod mewn anhrefn a'r awydd i weithredu dros yr anghyfiawnder a deimlwn. Ond roedd un frwydr ymhell bell i ffwrdd a'r llall yn un agos ataf. Nid rhyfedd felly imi ymaelodi â Chymdeithas yr Iaith yn bymtheg oed gan ymuno hefyd gyda CND yr un pryd. Bu'r chwedegau hwyr yn rhai tanllyd wrth i ymgyrchoedd yn erbyn arwisgo Tywysog Cymru fod yn faen tramgwydd arall i Gymraes genedlaetholgar.

Dylid dweud mai dim ond ar ôl imi fynd i'r brifysgol yn Abertawe yn 1969 yr ymunais â phrotestiadau go iawn. Tua'r adeg honno yr oedd y mudiad gwrth-apartheid yn dechrau amlygu ei hun a thrwy'r mudiad hwnnw, sylweddolais mor anghyfiawn oedd y sefyllfa yn Ne Affrica. Yn rhyfedd iawn, byddwn yn treulio ambell benwythnos mewn protest yn erbyn arwyddion uniaith Saesneg ac ambell benwythnos arall yn Llundain yn gorymdeithio gyda miloedd o bobl eraill, gan ddal placardiau ynghylch annhegwch y drefn apartheid a galw am ryddhau Nelson Mandela o'r carchar. Slogan mawr y cyfnod hwnnw oedd mai ar y strydoedd roedd y brifysgol go iawn, a does ryfedd imi gael astudiaethau academaidd yn syrffedus o fod yn rhan o 'chwyldro' cynhyrfus yr ifanc.

Ond yr un mor bwysig oedd ysgrifennu cerddi, hyd yn oed os nad oedd modd ymroi i'r ddisgyblaeth o ddifrif na thalu sylw i grefft. Clywn y geiriau yn canu ynof, ar ffurf y *vers libre*, gan wneud imi ymgolli yn y mesurau rhydd. Treuliwn oriau lawer yn amau a oedd fy

Rali gwrth-apartheid, 1986

marddoniaeth yn perthyn i farddoniaeth Gymraeg, er mai yn yr iaith honno y byddwn yn ei llunio bob tro. 'Bod yn rhydd' oedd holl ethos y chwedegau ac nid oedd gennyf yr awydd i ildio'r rhyddid hwnnw er mwyn dysgu'r cynganeddion, fel y gallwn fod wedi gwneud dan gyfarwyddyd fy nhad. Yr oedd rhywbeth ynof a fynnai 'annibyniaeth barn' a rhyddid creadigol, pa mor dila bynnag ydoedd bryd hynny, gan ochrgamu y byd cystadleuol. Fel y dywedodd R. S. Thomas mewn llythyr at fardd arall un tro, 'rydw i'n cyfadde imi ysu am gael ymddangos mewn print', ac fel R.S., roedd rhyw unplygrwydd ynof a ochrai gyda'i safbwynt ef pan ddywedodd, 'dydw i ddim yn credu mewn cystadlu ym myd y celfyddydau'.

Er ymgyrchu, a chael fy arestio droeon ynghyd â threulio dau gyfnod byr yn y carchar, ni chefais unrhyw foddhad o wneud hynny. I berson encilgar, roedd ceisio bod yn eofn a chyhoeddus yn fy llethu er i'r profiad, hwyrach, fy ngwneud yn fwy hyderus fel bardd ar lwyfan yn nes ymlaen yn fy ngyrfa. A phan wyf yn darllen mewn mannau yn America neu mewn gwledydd sydd yn dal i frwydro dros hawliau eu hieithoedd lleiafrifol, caf fy nghyflwyno o hyd fel bardd ac 'activist'. A theimlaf bryd hynny yn annheilwng o'r fraint honno.

Er mai cyfnodau byr iawn a dreuliais yn y carchar, roedd yr wythnosau a dreuliais yno gyntaf yn 1971, a minnau'n fyfyrwraig ugain oed, yn ddigon o ysgytwad i mi weld achosion eraill o flaen fy llygaid. Os euthum i'r carchar fel ymgyrchydd dros iaith, gadewais y lle hwnnw fel ffeminydd gan sylweddoli nad oedd iaith na mynegiant gan gynifer o'r merched i reoli cyfeiriad eu bywydau. Daeth hyn yn glir un dydd pan ofynnodd un ferch a allwn ysgrifennu llythyr yn Gymraeg at ei mam a chytunais yn llawen, gan ofyn iddi ysgrifennu yr hyn roedd am ei ddweud yn Saesneg a'i roi imi. Wedi hynny, bu'n fy osgoi bob cyfle, nes i un arall ddweud yn fy nghlust yn sbeitlyd nad oedd yn medru ysgrifennu. Daeth hyn fel taranfollt i un a gredai fod addysg a mynegiant ym meddiant pawb. Dyna pryd y sylweddolais fod bod yn

Gymraes ac yn ferch gyfystyr â'i gilydd, ill dwy yn dioddef rhagfarn yn eu herbyn. Ill dwy ar gyrion cymdeithas a oedd yn ormesol o ddi-hid o'u safle yn y gymdeithas honno.

Ynghlwm wrth y ddeuoliaeth honno roedd y ffaith fy mod hefyd bob amser wedi f'ystyried fy hun yn Gristion o fath. Yn awr, yn y carchar, cawn fy hun fel Thomas Merton yn profi bod ar ymyl weiren bigog yr eglwys a chymdeithas, fel y nododd un tro:

> ... being at the edge he has the inestimable advantage of being able to talk with those whose lives are a long pilgrimage at the edge, coming in, going out, pausing here, hoping there, despairing almost always. That edge where the future is both endangered and engendered.

Dyna'r teimlad a brofwn yn gyson yn ystod y saithdegau, y teimlad o fod yn dra synhwyrus tuag at leiafrifoedd, boed yn ferched neu'n bobl dduon neu'n Gymry Cymraeg a oedd yn gyson yn gorfod 'siarad lan':

> Siarad lan yw'r siars
> i siarad Saesneg,
> wrth gwrs, felly dedfrydaf fy hun i oes
> o anneall, o ddiffyg llefaru,
> ynganu, na sain na si
> na goslef heb sôn am ganu,
> chwaith fyth goganu, llafarganu,
> di-lais wyf, heb im grasnodau
> na mynegiant na myngial.
>
> ('Cân y di-lais i British Telecom', *Eucalyptus*)

Symbylwyd y gerdd honno gan ddirwy a gefais am baentio slogan ar flwch teliffon coch fel rhan o'r ymgyrch dros Ddeddf Iaith newydd. Cefais y syniad o'i hanfon at Glerc y Llys fel tâl am y ddirwy o hanner canpunt. Euthum ar ofyn R. S. Thomas i'w chyfieithu fel y gallwn ei hanfon yn y ddwy iaith. Cefais lythyr cefnogol iawn oddi wrtho yn esbonio na chredai mewn cyfieithu barddoniaeth, ond ar ochr arall y ddalen roedd ei gyfieithiad a'r geiriau:

> Diolch am y gerdd, a llongyfarchiadau arni hefyd. Gofynsoch i rywun nad yw'n credu mewn cyfieithu barddoniaeth ac mae godidowgrwydd ambell i ymadrodd gennych yn profi fy mhwynt. Ni ellir cyfieithu'r gynghanedd fel rheol, a dyna sy'n gyfrifol am flerwch rhai o'm trosiadau i.
>
> (Llythyr, 20 Gorffennaf 1991)

Aeth pum mlynedd a mwy heibio wedi hynny, cyn imi ildio i'r rheidrwydd o gael cyfrol o gerddi cyfochrog yn y ddwy iaith, sef *Eucalyptus* o Wasg Gomer. Ond tua'r adeg honno, ar ddechrau'r nawdegau, teimlwn fod gogwydd fy ngherddi yn tueddu fwyfwy at bynciau go anghymreig. Bryd hynny, fel o hyd, byddwn yn ymrafael â'r tyndra rhwng purdeb y gair a phropaganda'r prydydd, gan weld yr olaf fel rhyw gynnyrch eilradd neu'n llai oesol ei apêl. Hwyrach imi syrthio i'r fagl honno weithiau, ond daliaf i gredu mai swyddogaeth y bardd yw bod yn sylwedydd, gan gynnig tystiolaeth am y cyflwr dynol beth bynnag y bo a lle bynnag y bodola. Deillia fy holl gerddi, pa arlliw bynnag o'r gwleidyddol sydd iddynt, o wraidd cychwynnol fel gwylio'r planhigion llusernau Tsieina y tu allan i'm ffenest. Gweddnewidia'r ddelwedd arbennig honno wedyn yn deyrnged i'r rhai dewr a laddwyd yn Sgwâr Tiananmen yn 1989:

> Dan lach y mis bach,
> llusernau'n gwegian
> at eu diwedd;
> a'u codi wnaf,
> rhoi i'w lliwedd, lestr,
> gwanafu eu cymhendod ger ffenestr.

Dan lach dwyreinwynt,
llusern o Tsieina'n gloywi;
megis llun ar lintel y cof
o'r heriwr yn dal baner

at dalcen Goleiath o danc –
un weithred gariadlawn, ifanc

gan gynnau fflam hirymaros
a ha' bach cynnar – hy ei naws.

('Llusernau Tsieina', *Eucalyptus*)

Go brin y meddyliais, yn 1989, y byddwn, yn 2014, yn cael fy ngwahodd gan un o brif feirdd Tsieina, Zhao Zhenkai – neu a rhoi iddo ei enw barddol, Bei Dao – i ddarllen gydag ef a deg bardd arall yn Hong Kong ac yna yn Tsieina. Braint yn wir, o gofio iddo gael ei gollfarnu am ei ddylanwad ar y myfyrwyr yn Tiananmen a'i alltudio i Hong Kong yn sgil y gyflafan ac yntau'n un o'r rhai a elwid yn 'Misty Poets'. Mewn un gerdd dywed: 'Deuthum i'r byd hwn heb ddim ond papur, rhaff a chysgod/ i gyhoeddi o flaen barn/ y llais sydd wedi cael ei farnu'.

* * *

Yn gynyddol yn y cyfnod cynnar, felly, byddai ysgrifennu yn ffordd o ymryddhau o'r hyn a deimlwn fel Cymraes gan gredu, fel Simone Weil, y dylai beirdd ysgrifennu am brofiadau y rheiny nad oeddynt yn medru ysgrifennu barddoniaeth. Heblaw am hynny, meddai, does dim byd ond barddoniaeth glyfar a gall y byd wneud yn iawn heb y math hwnnw. Erbyn heddiw, amheuaf yr agwedd honno er clodfori ei sentiment.

Prin iawn oedd yr ysbrydoliaeth i lunio cerddi am Gymru yn ystod y saithdegau er imi fynychu llysoedd, weithiau fel diffynnydd, weithiau fel cefnogwraig i eraill. Treuliais amser hefyd yng nghelloedd gorsafoedd yr heddlu, ond y gell eithaf oedd yr un yng ngharchar Pucklechurch yn 1971 (ac yn 1993). Yr hyn a ddysgais wrth fireinio'r grefft o gyfansoddi oedd gadael i rai profiadau ddyfnhau ynof. Rhaid oedd cael yr amynedd i ddisgwyl i'r gerdd fy nghyffroi fel nad oedd modd ei hosgoi. Daw fel lleidr yn y nos pan nad ydych am gael eich tarfu. Dyma un gerdd o nifer a ddaeth bum mlynedd ar hugain wedi'r carchariad hwnnw yn 1971:

Mae cwfaint a charchar yn un. Lleian mewn lloc
a morynion gwynion dros dro'n magu dwylo,
eu didoli nis gallwn. Diystyr cyfri bysedd mewn byd

mor ddiamser. Fe ŵyr un beth yw trybini y llall,
bu yn ei bydew yn ymrafael â'r llygod ffyrnig –
dioddefaint yn sail i'w dyddiau.

Mae cariad ar oledd y mur. Croes rhwng troseddwyr
a gafodd. Cell rhyngddynt a'u mân groesau,
yn llawn seibiannau mawr. Pa Dad

a'i gadawodd mewn lle mor anial, llygad ychen drws
ei unig wrthdrawiad? A holodd hwy am fechnïaeth –
am brynu amser? Galw arno am drugaredd?

Lleianod cadwedig ydym yma. Wedi'r swpera
awn yn ôl i fyd ein myfyr. Yr un a wna rai'n sypynnau
heb gnawd. Yma, ni yw'r ysbrydol anwirfoddol,

yn dal y groes a'r troseddwyr rhwng ein gobennydd,
yn gyndyn mewn aberth, yn dyheu am adenydd.

('Cwfaint', *Perfect Blemish/ Perffaith Nam*)

* * *

Diwrnod priodas Wynfford a minnau, Awst 1974

Er dechrau bod yn effro i'r 'achosion' newydd yna y cyfeiriwyd atynt yn y gerdd, yr oedd diwedd y saithdegau yn adeg i ymroi i'r achos pwysicaf oll a hynny fel mam wrth fagu dau o blant. Ond i darfu ar ddyfodiad ein cyntaf-anedig, Fflur, daeth achos Blaen-plwyf ar ein traws, gyda'm cymar Wynfford yn cael ei gyhuddo o gynllwynio i achosi difrod cyfyngedig i'r mast ym Mlaen-plwyf, ynghyd â swyddog darlledu y Gymdeithas y pryd hwnnw. Cynhaliwyd yr achos cyntaf yng Nghaerfyrddin lle bu protestiadau dyddiol ynghylch yr achos a ystyrid fel un 'gwleidyddol'. Adeg anodd ydoedd a minnau o fewn mis i eni fy mhlentyn cyntaf ac wedi colli plentyn yn y groth cyn hynny. Ond daeth tro ar fyd, wrth i'r rheithgor fethu â chytuno ar ddyfarniad, ac anghofia i fyth y llawenydd a deimlais wrth gerdded allan o'r llys gan wybod y byddai Wynfford yno i weld geni ein plentyn. Wrth inni gerdded ar hyd Lôn Jackson, ryw hanner awr wedi i'r llys gael ei ddiddymu, daethom wyneb yn wyneb ag un o'r rheithgor a ddywedodd gyda gwên, 'Pob lwc i chi nawr'.

Wrth gwrs, gwyddem y byddai ail achos yn debygol o ddigwydd a'r hydref hwnnw, fe'i dedfrydwyd i chwe mis o garchar gan aelodau rheithgor newydd. Y tro hwn, detholwyd y cyfryw rai gydag enwau Saesneg neu anghymreig. Codwyd y mater yn y Senedd gan neb llai na Peter Hain wrth iddo gwestiynu'r achos am iddo gael ei gynnal ar sail annelwig 'cynllwynio'. Ond erbyn hynny, roedd holl gyffro'r alwad am sianel deledu wedi ei wyntyllu, drwy ddulliau cyfansoddiadol a thor-cyfraith gyda chefnogaeth o du sefydliadau niferus a pharchusion y genedl. Bu'r ymgyrch tri mis, gan weithredu bob wythnos, yn benllanw i'r alwad am sianel deledu Gymraeg.

Am y rheswm hwnnw, er na wyddem hynny yn 1978, ni theimlwn yr awydd i ganu mewn dull gwrthdystiol. Yn hytrach, lluniais gerdd gynnes, ddychanol i gyfleu'r neges – er mai cerdd serch ydyw mewn gwirionedd:

Tra oeddit ti'n gaeth
fferrodd glannau'r Teifi
mewn anufudd-dod sifil;
a bu farw'r eogiaid
o dorcalon!

Tra oeddit ti'n gaeth
ymfudodd holl adar y cread
o ddiffyg croeso;
a chafodd cathod strae'r plwy
bwl o argyfwng gwacter ystyr!

A thra oeddit ti'n gaeth
picedodd yr eira'r ffordd
rhag i'r haul gipio'r hawl
ar arian gleision y pridd;
ac aeth y glaw i bwdu
am na chafodd dy sylw!

Tra oeddit ti'n gaeth
sgaldanwyd deucant o waeau
i biser o gân;
gorweithiodd y postmyn
yng nghylch Abertawe;
aeth 'Basildon Bond' yn brin
yn y siopau!

A thra oeddit ti – yn gaeth,
                    aeth deuddeg o reithwyr
i'w cartrefi'n rhydd.

('Wedi'r Achos (Blaen-plwyf) 1978', *Merch Perygl)*

* * *

Tueddaf i gredu bod fy mywyd wedi ei rannu yn ddegawdau oherwydd yn ystod yr wythdegau daeth achosion eraill i fod yr un mor eirias yn fy mywyd, wrth geisio magu dau o blant a pharhau i ysgrifennu. Cefais fy hun yn gweithredu dros heddwch ym Mreudeth wrth dorri'r ffens yno, fel rhan o'r ymgyrch yn erbyn presenoldeb milwyr America. Yn rhyfedd iawn, enillais yr achos hwnnw gan nad oedd y blismones a'm harestiodd ar gael imi ei chroesholi ynghylch ei safbwyntiau ynghylch heddwch, a chefais hyd yn oed gostau teithio am fy nhrwbwl!

Er hynny, cyfnod ansicr iawn oedd yr wythdegau wrth i Thatcher ddileu'r pyllau glo a bûm, fel eraill, yn casglu bwyd ar gyfer y glowyr

Fflur a minnau

Wynfford a minnau gyda'r plant, Meilyr a Fflur

gan ddosbarthu bocsys i ganolfan yn Cross Hands. Teimlwn yn gryf o blaid y cymunedau glofaol gan gofio am fy nhad-cu yn marw mewn damwain yn y pwll glo. Ond wrth giledrych yn ôl, sylweddolaf nad oeddwn wir yn gysurus fel ymgyrchydd. Un o'r profiadau mwyaf arteithiol i mi ei wynebu oedd mynd ar linell biced yn Aber-nant un bore oer a chael y glowyr a'u gwragedd oedd ar streic yno yn melltithio'r gwŷr a ddeuai ar fws wrth iddyn nhw ddewis mynd yn ôl i'r gwaith. Dim ond wylo a wnes wrth yrru oddi yno a gweld dynion benben â'i gilydd a minnau'n cydymdeimlo gyda'r ddau safbwynt.

Yn ystod y cyfnod hwn hefyd yr oedd tair merch o Gymru yn mynd ar daith tuag at Greenham. Ond dyna'r dynfa drachefn yn fy ngoddiweddyd, wrth imi geisio bod yn fam gydwybodol ac ymwneud ag elfennau o ymgyrchu yn achlysurol. Euthum i Greenham unwaith neu ddwy a chael y daith yno'n hirfaith. Haws oedd bod gartref yng Nghymru yn ymgyrchu ar ran y Gymdeithas gan ysgrifennu ambell erthygl a'u cynrychioli droeon. Un o'r teithiau mwyaf nodedig imi ei gwneud oedd bod yn un o ddirprwyaeth a aeth i gyfarfod â swyddogion Sinn Fein yn Belffast. Roeddem yno ar yr un adeg ag yr oedd Margaret Thatcher yn ceisio llunio cytundeb rhwng y Gweriniaethwyr a'r Unoliaethwyr. Yno i weld sut yr oedd yr iaith Wyddeleg yn gweithio yr oeddem, a hwyrach i ddangos ein bod yn barod i drafod gyda grŵp a oedd yn dechrau ymffurfio'n blaid wleidyddol gyfansoddiadol. Adeg oedd hon hefyd pan oedd lleisiau Sinn Fein wedi eu sensro rhag cael eu clywed ar deledu, a theimlai'r Gymdeithas y dylid gwrando arnynt er mwyn deall y sefyllfa yn well.

Profiad ysgytwol ydoedd wrth i ni weld y dinistr a achoswyd gan y terfysgoedd. Roeddwn yn ofnus wrth fynychu tai rhai o'r aelodau, gan wybod am y trais rhempus a olygai nad oeddech yn gwybod pwy fyddai wrth y drws yn curo. Profiad dychrynllyd hefyd ydoedd wrth i'r milwyr ymddangos ar ganol ffordd gan holi ein hynt. O brofiadau'r penwythnos hwnnw y crëwyd y gerdd a osodwyd ar faes llafur TGAU yn fuan wedyn, sef 'Er Cof am Kelly'. Cerdd newyddiadurol ydyw, a diau na fyddwn yn ei llunio yn yr un modd heddiw, ond rhaid oedd dwysáu profiad y fam a gollodd ei phlentyn mewn damwain angheuol wrth i filwr ei saethu gan gredu fod arf yn ei meddiant. Rwy'n dal i ddod ar draws oedolion heddiw sydd yn cofio'r gerdd honno, hwyrach am ei bod yn gerdd fer, ond hoffwn gredu iddynt ymgolli hefyd yn y ddrama drasig. Mewn ysgol a choleg, llwyddais i atgynhyrchu'r sefyllfa drwy gastio actorion yn filwyr, cymdogion, mam a'i theulu a chael y fath wefr o'u gweld yn ail-greu'r digwyddiad dirdynnol. Pwysleisiwn wedyn mai ysgrifennu am gymhlethdod bywyd yw un o'r grymoedd sydd yn gyrru'r artist, rhag ymlithro i symlrwydd da neu ddrwg.

Sgwennwyd ym Melffast

Geneth naw mlwydd oed
ar gymwynas daith;
peint o laeth gwyn
i gymydog.
Trwy gyrrau'r ffenest
gwyliodd ei mam,
ei gweld yn cerdded
a chwympo;
bwled wedi'i bwrw,
gwydr fel ei chnawd yn deilchion.

Panig wedi'r poen.
'My God, it's only a little girl,'
meddai'r glas filwr.
Moesymgrymodd.
Meidrolodd,
ei mwytho yn ei gledrau.

'Get your dirty hands off,'
medd cymydog mewn cynddaredd.
Y fam yn ymbil
am ei gymorth cyntaf –
olaf.

Gwisgodd amdani ffrog ben-blwydd,
dodi losin yn ei harch,
y tedi budr a anwesodd
o'i chrud,

ac aeth ar elor
angau ei noson hwyraf allan.

('Er Cof am Kelly', *Merch Perygl*)

Tua diwedd yr wythdegau, felly, deuai llifeiriant o achosion i'm rhan a minnau yn dal yn ymgyrchydd ansicr, gan wegian rhwng yr awydd i droi oddi wrth y byd a'i achosion llosg a methu'n lân a chau y drws arnynt er gwaethaf popeth.

Po fwyaf y darllenwn am sefyllfaoedd rhyngwladol, mwyaf yn y byd y trown fy ngolygon at sefyllfaoedd y tu allan i Gymru. Hwyrach mai gweithio fel lluniwr deunyddiau i'r NFER/Sefydliad Cenedlaethol er Ymchwil i Addysg ym Mhrifysgol Abertawe a'm gwnaeth yn effro i anghenion plant is eu cyrhaeddiad, gwaith a roddodd foddhad mawr imi wrth greu testunau a apeliai at eu diddordebau. Yna, un diwrnod, darllenais am fachgen ym Mecsico a gafodd ei ddarganfod ar y stryd, a siaradai Sbaeneg a Saesneg, ac a oedd, fe dybid, o deulu cefnog. Wrth ddarllen ymhellach, sylweddolais fod colyn yng nghynffon y stori gan i'r cyfryngau dreulio dyddiau lawer yn ceisio dod o hyd i'w rieni. Ond yn gefnlen i'r stori roedd y ffaith fod yna filoedd o blant ar y strydoedd yn Ninas Mecsico heb i neb boeni rhyw lawer amdanynt. Roedd llawer yno am i'w rhieni gael eu lladd yn y ddaeargryn fawr yn 1985. Plant

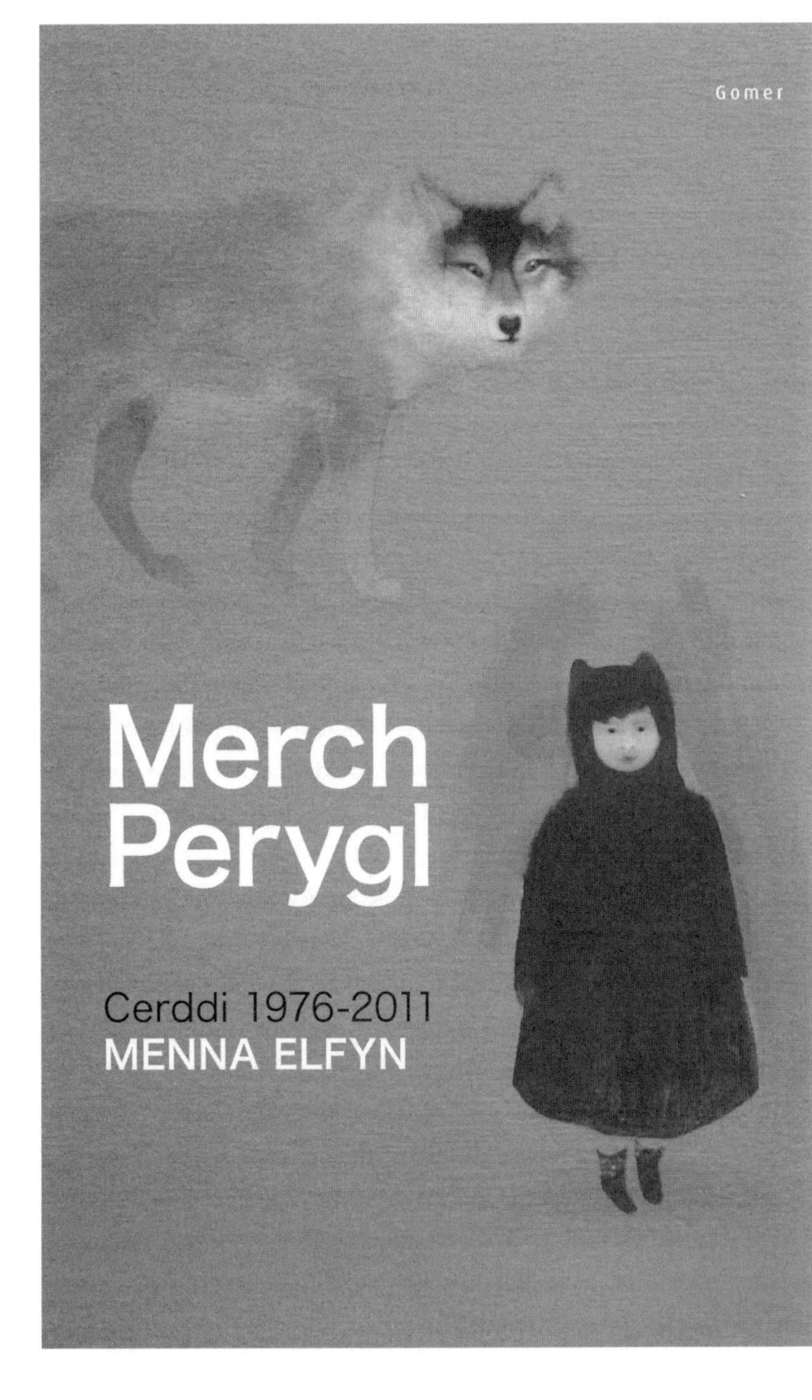
Gomer
Merch
Perygl
Cerddi 1976-2011
MENNA ELFYN

ar y strydoedd? Roedd y peth yn wrthun i mi, ond sylweddolais nad nodwedd a oedd yn gyfyngedig i'r wlad honno ydoedd ond bod yna blant amddifaid ar draws y byd yn byw ar y strydoedd, heb ymgeledd, a heb gysur aelwyd na theulu.

Trodd yr ymgyrchydd ynof y tro hwn yn un a oedd am geisio dadlennu'r stori honno trwy gyfrwng nofel led syml i blant. A dyna oedd man cychwyn *Madfall ar y Mur* a gyhoeddwyd yn 1993. Roedd un rhan ohonof am oleuo meddyliau plant ifanc ynghylch bywydau rhai llai ffodus na hwy, ond buan y sylweddolais y dylai'r stori fod yn mynegi hynny yn ei ffordd ei hun a rhaid oedd gollwng unrhyw ragfwriadau didactig, gwleidyddol. Stori yw hi am ferch o Gymru, Teleri, yn meithrin perthynas gydag un oedd yn byw ar y strydoedd. Sabado oedd prif ffocws y nofel ac yn fwriadol, lluniais y cymeriad hwn yn artist ar ôl gweld artist o fachgen tebyg yn Puebla wrth imi ymchwilio i'r nofel. Gwelais dristwch a llawenydd yno, wrth ymweld â chanolfan Juconi a sefydlwyd gan Sarah de Benitez, canolfan sy'n caniatáu i'r plant fynd a dod a chael nodded a chymorth yn ôl eu dymuniad. Mae'n ddull llawer mwy gwaraidd na rhai o'r cartrefi tan glo i rai amddifaid a welais hefyd ar fy nheithiau dramor. Daeth y teitl imi wrth sylweddoli mor debyg oedd y plant ar y strydoedd i'r madfallod di-ri yno, lle y byddent yn llechu o'r golwg ac yn amhosib eu dal. Ceisiais, unwaith, ddilyn plentyn a oedd yn byw mewn stryd arbennig er mwyn deall ei amserlen ddyddiol. Ond mae ganddynt gyneddfau goroesi mwy miniog na neb, a methais yn llwyr â'i ddilyn am ragor nag awr neu ddwy.

Ddegawd yn ddiweddarach, ysgrifennais nofel am filwr bychan o ferch yn helpu dau fachgen i ddianc rhag effeithiau'r rhyfel cartref oedd yn ei gwlad. Unwaith eto, hedyn y syniad oedd cael fy rhwystro yn ddi-baid yn Colombo gan filwyr ifanc o du'r llywodraeth gyda gwn wedi ei anelu ataf wrth iddynt fy holi ynghylch fy siwrne yn y ricso. Gwyddwn mai tacteg y Teigrod Tamil oedd esgyn i gerbyd felly cyn troi'n hunanfomwyr. Roeddwn yn Sri Lanca i ddarllen barddoniaeth a chynnal gweithdai ysgrifennu, ar adeg pan oedd y rhyfela rhwng y ddwy ochr yn ei anterth. Cofiaf grynu mewn ofn wrth glywed sïon drwy'r gynulleidfa bod y Teigrod Tamil wedi cyrraedd yn agos i'r brifddinas ym 'Mwlch yr Eliffantod'. Rana Rebel oedd enw'r prif gymeriad a theitl fy nofel. Fy mwriad oedd cyflwyno stori gyfoes wedi ei seilio ar broblemau gwledydd tlawd a'r pwysau oedd ar bobl ifanc, naill ai drwy orfodaeth neu rym cymhellol, i ymuno ag un garfan. Cyhoeddwyd y nofel hon yn ystod fy nghyfnod fel Bardd Plant Cymru yn 2002–03.

Yn ddiweddarach, daeth her arall i'm rhan ym myd hawliau a lles plant wrth imi gael fy nghomisiynu i lunio llawlyfr yn erbyn ystrydeboli ac ymarweddiad treisiol. Bwriad y llyfr oedd rhoi canllawiau ar sut i ymatal rhag ymddwyn yn dreisiol, a noddwyd y prosiect gan Gronfa Achub y Plant a Chymorth i Fenywod. Ymwelais â llochesi i ferched ar draws Cymru, a gwneud cynllun peilot mewn ysgolion lle roedd yna ddifreinedd a phroblemau ynghylch ymarweddiad. Teithiais i Bled yn Slofenia gan gynnal gweithdai gyda phlant i ffoaduriaid o Bosnia, ac wedi hynny, cyfieithwyd y llyfr i'r Slofeneg.

Drwy gyfrwng y cynllun hwn, a'r ddau lyfr *Dim Llais i Drais* a *Hands Off*, y deuthum ar draws bachgen pymtheg mlwydd oed a oedd yn cael ei gadw tan glo mewn ysgol arbennig oherwydd ei ymddygiad treisiol. Hwn, o bob person y deuthum i gyffyrddiad â nhw, a wnaeth yr argraff ddyfnaf arnaf. Ysgrifennais dair cerdd amdano a'r hwyaf yw honno a ddaeth o'r profiad o ymweld ag ef yn y sefydliad a oedd yn ysgol ac yn gartref iddo. Clywais ei hanes cyn ymweld ag ef, gan wybod iddo fynd i fyw at sawl teulu maeth ond i bob un yn eu tro ei wrthod. Dyna pam y saethodd ei gwestiynau ataf fel bwledi:

'Are you a psychologist?'

Na, atebais.

'A psychiatrist?'

Na, atebais yr eilwaith.

'A social worker then.'

Dechreuais bendroni sut roedd modd dweud beth oedd fy mhwrpas wrth ymweld ag ef.

'Teacher?' oedd ei ymgais olaf.

Bron iddo fy llorio gyda'i sylw nesaf:

'Well you must be something to be coming to see me.'

Ar hynny, atebais yn gwta, 'I'm a poet.' Yna, yr un mor sydyn, goleuodd ei wyneb ac meddai: 'I can play the piano too.' Roedd cysylltu cerddi gyda cherddoriaeth wedi tycio ynddo nes iddo gredu ein bod yn debyg i'n gilydd, neu o leiaf yn deall ein gilydd. Gyda chyffro, gofynnodd i'r swyddog oedd yno'n y cefndir a allai fynd i'r neuadd fawr i ganu'r piano i mi. Yn anfoddog, cytunodd honno a methwn â deall ar y dechrau pam yr oedd mor ansicr ynghylch cydsynio â'i gais – nes inni gyrraedd y neuadd.

'Clowch y drws neu bydd y llanciau eraill yn sicr o darfu arnoch,' meddai wrthyf. A dyna a wnaethom. Aeth at y piano a dechrau chwarae, a buan y sylweddolais nad oedd ganddo'r gallu i wneud dim ond ymdrechu gydag un bys i ganu tiwn adnabyddus iawn – hynny, nes i'w rwystredigaeth wrth ganu'n anghywir ei lethu. Ac yno, yn yr eiliad honno rhwng llwyddiant a methiant, rhwng balchder a chywilydd, y deuthum at yr hyn a greodd y gerdd a ddaeth yn ei sgil. O fewn dim i'r digwyddiad, roedd llanciau yn syllu trwy wydr tryloyw y drws dan chwerthin ac yn gwneud hwyl am ei ben, fel pe baent yn gwybod yn iawn ei fod unwaith eto yn esgus ymarfer â dawn nad oedd ganddo. Dychwelais o'r ymweliad a'r gerdd yn canu yn y glust, am yr angylion Beiblaidd cwerylgar ac am fy nymuniad i roi iddo'r rhodd o allu hedfan i gadeirlan i ganu yno'n soniarus:

> Mae'r celloedd llwyd o bob tu iddo
> yn ei ddal mewn esgyrn sy'n cuddio
> am eiliad bwysau'r briwiau yno

ac eto onid dynol oedd yr angylion
ar dir Groeg a Phersia'n llonni dial
nid araf yn y Llyfr Mawr i ymrafael?

Aeth ef â mi o'i gell, ef, angel, i'r neuadd fawr,
myfi, efe ac un piano *grande*,
allweddi'n aflonyddu wrth ddal fy llaw,

dan glo, dechreuodd ei gyngerdd i'r noddreg,
twinkle, twinkle, yn un donc ddyfal –
cyn methu'r esgyniad – at y llethrau duon.

Angel pen-ffordd, heb bentan na mynegbyst
a'r nen ar goll ym mherfedd y berdoneg
How I wonder what you are.

Daw'r seibiau â'r solo i ben. Allweddi'n cloi,
cau dwrn du y piano, yn grop. Disgordiau,
yn offeryn segur ar ei wyneb. Disgyniad

angel a'i angerdd i greu consierto
yn troi'n lled-fyw rhyw nodau o gryndod –
er byd mor ansoniarus. Canfod un tant persain.

* * *

Pes gallwn mi rown gwotâu ar angylion,
gwahardd sopranos, rhai seraffaidd
o fan uchel eglwysig lle mae'r sêr yn seinio

eu pibau rhy rwydd wrth euro'r corau,
yn fechgyn angylaidd, yn lleisiau gwydr mirain,
o'r marmor i'r eco. Rhy lân yw. Ni all Duw fod yno,

yn fwy nag yma, yng nghell yr angel,
lle mae cordiau heb ddesgant,
eto rwyf ar fy nhraed o glai yn cymeradwyo

encôr, i ddyhead un gell angel
fel y gall ehedeg yn ansylweddol
drwy furiau, heb gysgod, yn ysgafn,

adeiniog at gôr dwyfol y Gadeirlan –
ond tu hwnt i'r drws mae criw yn paffio
chwerthin yn y cnewyllyn talcen gwydr,

ac i bob Mihangel, Gabriel, Raffael,
mae cell sy'n eu cadw yn angylion syrthiedig,
a thry'r meidrolyn sy'n dal yr allwedd
yn ddim ond alaw cariad. Yn dduw heb agoriad.

('Cell Angel', *Merch Perygl*)

Ni wn, hyd heddiw, sut y daeth y gerdd honno i fodolaeth na sut y llifodd y geiriau mor ddi-ball gyda dicter a theimladrwydd ynghlwm wrth y canu. Bu hon yn gerdd a wnaeth ddrysu rhai heb y llinyn storïol a adroddwn mewn darlleniadau. Eto i gyd, mae'n rhyfeddol faint o bobl a ddaeth ataf wedyn gan ddweud, 'Fi oedd y cell angel yna unwaith'. Dyna pam, am wn i, fod rhai wedi sylwi fy mod i bob amser yn ochri o blaid y gorthrymedig, y rhai sydd yn aml ar y cyrion a'u lleisiau heb gael eu clywed gan ein byd cythryblus ni. Cerdd fel hon a wnaeth i Tony Conran fy ailenwi yn Elfynova gan lawenhau (dawnsio, meddai mewn llythyr) drwy'r bore ar ôl ei darllen ynghyd â gweddill cerddi'r gyfrol honno. Yn sicr, credaf i'r gyfrol gynnwys testunau sy'n deillio o brofiadau rhai y deuthum ar eu traws wrth deithio ar fy mhen fy hun. Ceisiais grisialu profiadau ambell bererin colledig ar daith bywyd. Hwyrach yr uniaethwn â hwy gan i minnau ymrafael â'r un petruster a ddôi o fod yn ansicr ar siwrne fy mywyd.

Ger Pont Henllan

A dyna ddychwelyd at y term 'bardd achosion' a nodais ar gychwyn y bennod hon. Er bod yn aelod o Senedd Cymdeithas yr Iaith yn y nawdegau, gan arwain a braenaru'r tir ym maes statws wrth gychwyn y galw am Ddeddf Iaith newydd, teimlad annigonol oedd bod yn ymgyrchydd. Ymgyrchydd anfoddog oeddwn, yn debyg i'm hagwedd at y math o ddyletswyddau a berthynai gynt i ferch y Mans. Oherwydd mewn gwirionedd, lleihau a wnâi fy awydd i fod yn gyhoeddus mewn ymgyrchoedd wrth sylweddoli'n gynyddol mai ymgyrchu dros farddoniaeth a'm denai. Gwefru dros lên a wnawn, a pho fwyaf y darllenwn lenyddiaethau'r byd, mwyaf yn y byd yr yswn am weld barddoniaeth Gymraeg yn rhan o'r byd hwnnw. Os mai yngan gair, yn ôl Wittgenstein, yw taro nodyn ar allweddellau'r dychymyg, dyna oedd fy nghymhelliad innau. Erbyn canol y nawdegau, roeddwn ar dân i ymroi i ysgrifennu yn anad dim byd arall. Daeth Deddf Iaith i fodolaeth er gwaetha'r ymweliad gan Angharad Tomos a minnau â'r

Rali Cymdeithas yr Iaith yn galw am Ddeddf Iaith Newydd, y tu allan i'r Swyddfa Gymreig, Caerdydd, 1993

Swyddfa Gymreig, gyda'r Ysgrifennydd Gwladol, Wyn Roberts, yn mynnu nad oedd galw amdani. Galwem bryd hynny am Ombwdsmon i ddelio â materion yr iaith, ac yn rhyfedd iawn gwireddwyd yr awydd i greu 'Bwrdd yr Iaith' a Chomisiynydd yr Iaith mewn degawdau wedi hynny.

A minnau'n ymgyrchydd brwd unwaith ym mrwydr yr iaith, daeth tro ar fyd wrth imi fod yn dyst y tro hwn i brotestiadau gan genhedlaeth iau, a'u gweledigaeth newydd yn adnewyddu'r frwydr dros yr iaith drachefn. Hwyrach mai prysurdeb fy mywyd fel merch a olygodd i mi fod ynghlwm wrth achosion eraill yn ogystal â magu dau o blant. A daeth ysgrifennu yn achos arall a hawliai fy angerdd. Galwodd Charles Simic farddoniaeth yn serennedd ynghanol anhrefn. Cyfranogais o'r serennedd a'r anhrefn honno wrth sylweddoli ei fod yn sylw cyfewin ynghylch bardd o ferch a geisiodd leisio ei hunaniaeth er dyheu am i lonyddwch di-lais deyrnasu.

Ac eto. Mae yna o hyd 'eto' yng ngeirfa bardd. Wrth edrych yn ôl dros lyfrau breision, gwelaf imi ysgrifennu'r canlynol yn 1980:

> Nid mudiad iaith yn unig yw Cymdeithas yr Iaith. Do, bu'n brwydro dros hawliau y rheiny a siaradai'r iaith a hynny o fewn fframwaith cymdeithas yng Nghymru. Ond i genhedlaeth gyfan bu'n ysgol o syniadau, yn hogi ideolegau unigryw, yn meithrin gweledigaeth heriol gan ddewis a dethol, mabwysiadu ac addasu yr hyn sydd orau i'r genedl honno.

Gweledigaethau'r Bardd Cwsg? Go brin yr ysgrifennwn rywbeth felly heddiw ond yn 2014, fe'm gwnaed yn Llywydd Anrhydeddus Wales PEN Cymru, swyddogaeth yr ymfalchïaf ynddi. Holl sylfaen PEN yw brwydro dros ryddid mynegiant ysgrifenwyr mewn gwledydd lle bynnag y bo'r awdur wedi ei ddistewi, ei garcharu neu ei ladd. Nid oes yr un sefydliad sydd yn fwy agos at fy nghalon. Hwyrach mai penllanw fy mywyd fel ymgyrchydd anfoddog oedd derbyn y fantell honno o frwydro dros awduron sydd heb y breintiau sydd gennyn ninnau. Wrth imi lunio hwn, daw'r alwad i ysgrifennu at rai awduron sydd yn y carchar yn Nhwrci.

Aeth Cymru a Chymdeithas yr Iaith Gymraeg yn 'rhan o'r byd mor fawr' fel y dywedai T. E. Nicholas (Niclas y Glais), gyda'r un consyrnau yn wynebu cenhedloedd lawer wrth i awduron leisio'r gwirionedd fel y mae'n ymddangos iddynt hwy. Boed yr awdur yn brwydro dros ei iaith neu yn erbyn trefn ormesol cenedl, parhau i gyfansoddi yw'r cymhelliad a bod yn driw i iaith. Ond mewn byd globaleiddiedig, amhosibl yw cau allan annhegwch o bob math. A daw achosion newydd i'r fei gyda phob cyfnod. A'r gwir yw hyn:

> Mewn piced, wrth byrth, ac yn sŵn banllefau
> gyda phlacard neu baent, yn anterth gwrthdystiad:
> gwingwn mewn torf fel newyddian heb eiriau.
>
> Cans fûm i erioed
> yn gerddwr crwsâd,
> dim ond breuddwydiwr amddifad.

Gorffen y gerdd gyda'r sylweddoliad hwn:

> A'r unig fathodyn sy'n gweddu i fardd
> yw hyglwyf binnau'r galon
> wrth erfyn am dynerwch sy'n galed –
>
> ar ddi-gêl gyrchoedd y nos
> sy'n brathu o hyd ein amheuon.

('Bathodynnau Byw', *Barn*, Gorffennaf 1992)

Gellid dweud mai bod ar y ddaear hon dros achos yr ydym oll, hyd yn oed os yw'n cydwybod yn mynnu ein bod yn coleddu 'achosion newydd'. O bydded i'r brwydrau drostynt barhau.

Ar wahân efallai i siarad mewn rali neu gyfarfod, po fwyaf yr ymdreiddiwn yn fy ngwaith ysgrifennu, mwyaf yn y byd y gwelwn mai'r unig gyfraniad y medrwn ei wneud oedd parhau i ganu ac i gyfansoddi. Dyma'r gwewyr a fu rhwng D. J. Williams a Kate Roberts, onid e – y ddadl a yw ymgyrchu yn tarfu ar waith yr awdur, neu sylw R.S. bod holl ymrwymiadau a rheidiau'r iaith a'i pharhad yn fath o hunanladdiad i'r bardd. Troi i mewn arnaf fy hun a wneuthum wedi hynny ond nid yn llwyr ychwaith, oherwydd i bob oes, y mae yna frwydrau newydd i'w hymladd. Pan na theimlwn y medrwn gyflawni mwy fel ymgyrchydd iaith, sylweddolais mor enbyd oedd hawliau nid iaith ond hawliau plant ar draws y byd, a hynny yn sgil mynd i Puebla ac ymwneud â phlant ar y strydoedd. Hynny hefyd a barodd imi ollwng y faner iaith, efallai, a dechrau deall mor brin oedd bywydau gwragedd o reolaeth dros eu hiaith a'u hawliau. Fel y dywed cerdd fer o'm heiddo:

Na chydymdeimlwch â mi,
nid Pasternak mohonof,
na Mandelstam ychwaith,
gallwn dalu fy ffordd o'r ddalfa,
teirawr a byddwn yn y tŷ.

Gwesty rhad ac am ddim yw hwn,
ond lle cyfoethog
ymysg holl ddyfrlliwiau teimlad,
barrau yw bara a chaws bardd.

Diolch frenhines, am y stamp ar sebon,
am uwd, yn ei bryd. Am dywelion anhreuliedig,
'rwyf yma dros achos
ond des o hyd i achosion newydd.

('Rhif 257863HMP', *Perfect Blemish/ Perffaith Nam*)

Ymgyrchydd? Bardd? Y gwir yw imi fynd i mewn i garchar fel ymgyrchydd iaith ond deuthum allan oddi yno yn ffeminydd, gan ddechrau deall yr amryfusedd ynghylch iaith ym myd bywydau merched. Deall hefyd mai'r 'bychanfyd' fu byd y ferch erioed, hithau wedi ei chau allan o'r byd mawr. Dyma blymio o'r newydd i lenyddiaeth a luniwyd gan ferched ar hyd y canrifoedd gan agor fy llygaid i'r cyfoeth hwnnw a fu dan gaead i mi.

Lloffion

Rwy'n cyrraedd Pucklechurch amser te. Does dim amser am de. Dadwisgo'n llwyr. Sefyll yn noethlymun o flaen y meddyg sy'n fy holi am anhwylderau neu glefydau. Rwy'n holliach. Archwilio fy ngwallt am lau – ond does dim yno. Cael dillad carchar o liw cachu llo bach a bar o sebon a thywel. Yna'r cwestiynau diddiwedd ond y cyntaf yw:

'Religion?'

Methaf â chofio'r gair Saesneg am Annibynwyr.

'Independent.'

'Don't be silly – that's a political party.'

Pan gyrhaeddais y carchar yr eildro roedd fy ateb yn un parod.

'Religion?'

'Catholic.'

Y bore wedyn, mae pennaeth y carcharorion yn fy ngalw ati. Cloben o fenyw gyda gwallt gwyn potel. Hi sy'n rheoli yn answyddogol. Rhaid tynnu ymlaen gyda hon. Wn i ddim beth a ddaeth drosof ond pan ofynnodd beth oedd fy nhrosedd, wedi i mi ddweud 'dirmyg llys' ac i mi sarhau'r barnwr, rhoddodd floedd o chwerthiniad gwerthfawrogol. 'Beth alwoch chi fe?' meddai. Gan sylweddoli na fyddai sôn am annhegwch achos cynllwynio yn gwneud dim synnwyr iddi, atebais yn sydyn, 'Mochyn.' Ac o hynny allan, roeddwn yn arwres yn ei golwg hi ac nid y llygoden fach ofnus a lechai ynof mewn gwirionedd.

* * *

Mae storm yn codi o du'r carcharorion eraill. Ar ôl gweithio mewn stafell wnïo gyda'r lleill rwy'n cael dyrchafiad i weithio fel garddwr allan yn yr awyr agored. Sut ydw i wedi cael y fath fraint? Does gen i mo'r ateb fy hun heblaw bod y gwnïo mor wael. Mae cael bod yn yr awyr agored, a hithau'n haf cynnar, yn fendigedig. Rwy'n dysgu chwynnu o ddifri i blesio'r pen garddwr ond, go iawn, rwy'n edrych tua'r ffurfafen ac yn ffoli hefyd ar weld y goeden geirios yn ei gogoniant. Cyn diwedd y dydd mae'r merched wedi tawelu a heb gychwyn ffrae. Hwyrach iddynt gael rhybudd gan y pennaeth platinwm nad wyf yn un i fela â hi gan imi herio'r barnwr.

* * *

Y tro cyntaf imi gael fy ngharcharu, cefais rannu cell gyda Meinir Ffransis a Nan Jones a garcharwyd am ddirmyg llys ddiwrnod ynghynt yn achos cynllwynio 1971. Roedd hynny'n esmwytháu'r carchariad gryn dipyn, er iddynt gael eu gadael allan yn gynt na mi oherwydd hynny. Llwyddasom i gynnal streic ymwelwyr gan nad oedd hawl gennym bryd hynny i siarad Cymraeg gyda'n hymwelwyr, sefyllfa a ddigiodd Saunders Lewis wrth ysgrifennu rhagair i'w ddarlith enwog *Tynged yr Iaith*, ddeng mlynedd wedi iddo ei thraddodi. Meddai:

> Y mae tair merch sydd heddiw, a minnau'n sgrifennu, yng ngharchar Bryste wedi eu rhwystro rhag siarad yn eu mamiaith wrth eu mamau, yn pigo cydwybodau hyd yn oed aelodau seneddol Cymreig y Blaid Lafur.

Wn i ddim ai allan oherwydd malais neu dwpdra o ran yr awdurdodau y digwyddodd y blerwch, ond derbyniodd Wynfford lythyr sych-barchus oddi wrthyf a fwriadwyd ar gyfer yr Athro Geraint Gruffydd am iddo ymweld â mi yn y carchar ac er mawr embaras i mi, derbyniodd yntau, yr Athro, lythyr cariadus oddi wrthyf a oedd i'w anfon at fy nghariad!

* * *

Y tro olaf imi gyrraedd y carchar, mae'r swyddogion mewn tymer ddrwg. Gyda'r holl waith papur sydd i'w wneud, a hithau'n hwyr yn y dydd, maen nhw am fynd tua thre. A phwy all eu beio? Caf fy arwain i gell sydd ag olion gwaed ar y cynfasau. A dyma ddwy bersonoliaeth yn dod i'r fei.

'She won't be here for long – it's good enough for her.'

Try honno ar ei sawdl a'm gadael gyda'r swyddog arall.

'Wait there a minute – see what I can do.'

Mae'n diflannu a'm gadael yn y gell fudr a'r olion gwaed yn rhythu arnaf.

Daw yn ôl, a gwneud arwydd arnaf i'w dilyn. Agor drws a wna ar gell sydd yn lân ac yn daclus.

'You kicked up a fuss, didn't you?' meddai gan wincio arnaf.

4
BARDD A BENYW

Pan gychwynnais ysgrifennu, ychydig a feddyliwn mai fel merch yr ysgrifennwn. Mae'n wir dweud imi lonni wrth fodio trwy'r *Caniedydd* a darganfod emynau gan rywun o'r enw Ann Griffiths. Ddegawd neu ragor wedi imi gyhoeddi fy nghyfrol gyntaf, lluniais gerdd a awgrymai fod ambell Ann arall oedd yn anhysbys imi:

Dienw, digyfenw
yw'r an sy'n anhysbys.
Pwy oedd e?
Llais cenedlaethau
o ddarlithwyr
wrth efrydwyr
a rhai'n enethod!
Dyn yn dior
hawlio'i gân,
neu lais coll hanes.

Hy! – haws ydi credu
mai gwraig
yw'r anhysbys
yn cafflo'i dwylo
hydreuliedig,
tynnu geiriau

o dan lawes profiad,
a'u hysgar,
cyn cuddio hances
ei hunaniaeth.

A hi a doliodd ar ddalen,
fel 'mestyn saig
a'i thrafod yn ddarbodus.

Amheuwch am unwaith,
chwi hyddysg rai,
a'r di-radd, chwithau.

Mae An yn hysbys
a'i distadledd
sy'n drallwysiedig
drwy feinwe defn
ein benyweidd-dra hen.

('Anhysbys (An sy'n hysbys)', *Merch Perygl*)

Heddiw, cydnabyddir merch o fardd fel rhywbeth naturiol gyda chydraddoldeb y ferch wedi ei dderbyn mewn rhai sefydliadau megis yr Eglwys, hyd yn oed os yw'r frwydr dros degwch o ran cyflogau a rhywioleiddio merched yn dal i fodoli. Wrth imi lunio'r bennod hon, clywaf *Taro'r Post* yn gwyntyllu uchelwyr yr Eisteddfod a'r gogwydd gwrywaidd sydd yno. Ond yn y saithdegau, pan oeddwn ar dân i gyhoeddi fy ngwaith, prin oedd y merched o'r un genhedlaeth â mi oedd wedi cael cyfrolau unigol. Pan gefais fy ethol yn aelod o'r Academi fel un o hanner dwsin o awduron yn unig mewn clwb dethol iawn, un o'r cwestiynau a anelwyd ataf gan un o'r aelodau ar ôl gwneud y darlleniad oedd: 'Pam na wnewch chi ysgrifennu rhyddiaith – dyna mae merched yn ei wneud orau.'

* * *

Cyfrol anwastad iawn oedd *Mwyara*, fy nghyfrol gyntaf – er, o edrych arni o'r newydd roedd ysgrifennu yn 1976 am 'Y Baban Leidr' neu 'Boddi Cathod' yn reit wahanol i'r math o destunau oedd yn arferol yn y cyfnod hwnnw, ac yn sicr, roedd cerdd hir yn ceisio deall dicter George Jackson, un o'r ymgyrchwyr dros bobl dduon yn America, a throseddwr, yn rhywbeth hollol wahanol i ganu'r beirdd Cymraeg yr oedd eu golygwedd yn un fwy cenedlaetholgar.

Chwe mis wedi cyhoeddi'r gyfrol collais blentyn yn y groth, a'r unig ffordd y medrwn ymryddhau o'r boen gorfforol a meddyliol oedd drwy ysgrifennu. Lluniais dros ddwsin o gerddi yn y deuddydd a dreuliais yn Ysbyty Glangwili, gan arllwys fy nheimladau mewn llyfr bychan. Ond ai cerddi oedden nhw? Neu ai rhyw fath o gartharsis yn unig? Pendronais am wythnos neu ddwy cyn penderfynu anfon y cerddi i gystadleuaeth 'Cyfrol o Gerddi' yn yr Eisteddfod gan weld mai Bobi Jones, un yr edmygwn ei waith yn fawr, oedd y beirniad.

Yn yr Eisteddfod Genedlaethol honno yn Wrecsam yn 1977, anfonais fy nghymar i wrando ar y feirniadaeth gan na allwn ddioddef clywed y cerddi yn cael eu beirniadu'n hallt. Onid oeddynt yn rhan o'm cig a'm gwaed – a'r gwaed a gollais? Pan enillais a chael cyhoeddi *Stafelloedd Aros*, derbyniais lu o lythyrau oddi wrth ferched oedd wedi cael yr un profiad â minnau. Dyma bwt o e-bost a dderbyniais ugain mlynedd wedi cyhoeddi'r gyfrol; roeddwn wedi gwneud darlleniad yn yr ardal:

> ... heb swnio'n nawddoglyd na chrafog nac yn wenieithus! Dwi'n edmygydd o'ch gwaith chi erioed ... fel roedd eich cerddi chi, flynyddoedd yn ôl erbyn hyn, yn *Stafelloedd Aros*, wedi fy helpu pan gollais fabi, yr hyn oeddwn i'n ei wneud oedd chwilio ym mhob man am eiriau i fynegi'r galar a'r teimladau, a phan nad oedd geiriau gen i, mi cefais nhw gan bobl fel chi! – yn profi bod barddoniaeth yn gallu bod yn brofiad trosgynnol ac ar gael i bawb!

Sylweddolais yn sydyn nad fy mhrofiad i yn unig ydoedd ond imi lunio cerddi a gynhwysai brofiadau darpar famau eraill. Deuthum i ddeall hefyd nad oedd yr un ferch wedi ysgrifennu am y profiad hwnnw o golli plentyn yn y groth, a hynny yn Gymraeg, hyd yn oed os oedd beirdd o ddynion wedi galaru am golli plant neu golli eu 'had' a'u hetifeddiaeth hwy:

> Trwy'r nos bûm yn dy wylad
> a'i wneud, heb imi'th weld,
> hyd ogof fwll amser.
> Disgwyl trywanau colli,
> a'th roi, y marw-beth, yn rhydd;
> paratoi tynnu'r pitw afluniaidd
> na chafodd daith esmwyth o'm mewn,
> eithr gelyn oeddit yn glynu'n dynn
> wrth fy mod i.
> Ond daethom i hafan y bore,
> a bwrlwm byw'n dy drechu'n deg;
> ymatal a wnest, a lliniaru
> tannau lleddf dy alaw brudd.
> Nid wyf eto'n saff, na thithau'n siŵr
> ond bodlon wyf i ohirio'r boen
> o'th golli'n llwyr
> am lecheden eto o oleuni – hwyr.

('Trwy'r Nos', *Eucalyptus*)

Pan fu farw'r baban ddyddiau wedyn, ni allwn ond galaru am y golled gyda'r llinellau: 'Mae rhan ohonof wedi mynd am byth/ y paill aeth ymhell o'i mamgell', gan fy ngweld fy hun fel 'Y gneuen wag', a'r unig angladd i farwolaeth felly oedd fy ngeiriau fy hun mewn 'Angladd' neu yn y gerdd 'Pabwyr Nos' lle rwy'n gorffen gyda'r geiriau:

Ni allaf mwy a'r groth yn wag
ond epilio cerdd
(a'i geiriau'n garlibwns)
â galar yn ei chôl –
yr epig hynaf o hanes ein hil
a'r ing a greisiwyd cyn fy nghreu i.

('Pabwyr Nos', *Eucalyptus*)

Daw dwyster y profiad yn ôl imi wrth ei ail-fyw, ond cymaint yn fwy yw'r dwyster hwnnw o feddwl am y miliynau o ferched a wyneba'r profiad hwn yn ddyddiol. Gyda'r gair 'epig', fe aned rhyw wirionedd newydd, wrth imi weld fel yr oedd y traddodiad barddol yn dynodi beth oedd yn 'epig', yn rhyfeddol o fawr, ac mai lle y ferch oedd distawrwydd hiraeth am yr hyn a gollodd.

* * *

Flwyddyn yn ddiweddarach, daeth llawenydd mamolaeth i'm rhan, gyda genedigaeth fy merch Fflur Dafydd yn 1978, a thair blynedd yn ddiweddarach ganed Meilyr Ceredig. Llifodd y cerddi am blentyndod o 'enau y rhai bychain hyn' oedd o dan fy ngofal, gyda dywediadau fel 'Mynd lawr i'r nefoedd', sylw fy merch a oedd am fynd am dro i'r fynwent yn y Gwernllwyn, Penrhiw-llan. Dyma ddiweddglo'r gerdd:

A thi sydd yn iawn:
yn llunio dy nefoedd ar y ddaear,
yn glanhau'n rhagrith â'th rialtwch,
gan chwerthin â'th draed
dros ddwyster
ein tipyn beddau.

('Lawr i'r Nefoedd', *Eucalyptus*)

Fflur a Meilyr

Crëwyd llu o gerddi ar sail eu dywediadau, fel 'Tro'r Haul Arno', pan oedd hi'n fore diflas y tu allan. Yn yr un modd, holai fy mab, 'Shwd ych chi'n marw, Mam?' Neu'r gerdd 'Dau fod mewn car' wrth iddo amau fy sylw ynghylch byw yng Nglynarthen cyn ei eni: 'Ond sut oeddit ti'n bod/ os nad own i, a ble own i ta beth?' Does ryfedd iddo astudio Athroniaeth yn y brifysgol!

Ond ynghlwm wrth orchwylion mamolaeth, a dysgu yn rhan amser ym Mhrifysgol Dewi Sant, Llambed, deuai ysgrifennu yn rheidrwydd nad oedd modd ei ohirio na'i ddiwallu. Byddwn yn deffro'n gynnar cyn i'r plant godi er mwyn cofnodi syniadau am gerddi. Darllenwn am yr un anhawster a gafodd beirdd o ferched eraill fel Sylvia Plath ac Anne Sexton, ond roedd llawenydd eu magu yn disodli unrhyw bwysau meddyliol. Yn 'Byw, Benywod Byw, (wrth feddwl am Sylvia Plath ac Anne Sexton)' mae'r diweddglo yn un cadarnhaol:

TRO'R HAUL ARNO
MENNA ELFYN

Nid oedd i einioes
y fam o fardd
binnau diogel,
na'r cyd-ddeall
rhwng poteli baban a pharadwys iaith.

I ti a sawl Sylvia
rhyw nosau salw
oedd ymyrraeth y lleferydd brau,
a'u lluosog arwahaniaith
wrth eich troi'n ddurturiaid cryg
at wifrau pigog
gwallgofrwydd.

Heddiw, ymdeimlo a fedrech
heb dwmlo drorau angau –
a'i gymhennu'n awen
ddiymddiheuriad.

Cynifer a gân heddiw
heb ddal eu hanadl
rhag i'r peswch annifyrrus
darfu'r gynulleidfa
a'r gŵr o'i bulpud.

Chwyrlïodd sêr ein hanes
fel sylwon crog*
uwch crud bydysawd,
a lleddfu colyn profiad:

iaith ein byw o'r fenyw fyw
ar chwâl yn chwyldro'r gerdd.

('Byw, Benywod, Byw', *Merch Perygl*)

* mobeil

Cerdd oedd hon a oedd yn heddgri (nid rhyfelgri) dros hawl y ferch i fod yn fam *ac* yn fardd, i fod fel plentyn yn syllu ar fobeil uwchben ei chrud ac ailddychmygu ei byd fel un cyfoethog.

Wrth edrych eto ar y gerdd, hwyrach fod y 'gŵr o'i bulpud' yn adlais o'r byd capelaidd a ddaeth yn wrthun i'r dorf fenywaidd ddi-lais gan ragflaenu cerdd arall, 'Wnaiff y gwragedd aros ar ôl?', cerdd sydd wedi datblygu ei naratif ei hun bellach. Rhydd bleser enfawr imi pan glywaf o fannau annisgwyl i rai ymddiheuro mewn capeli wrth ofyn i'r 'chwiorydd' aros ar ôl gan gyfeirio yn benodol at fy ngherdd. Da gennyf ddweud fy mod yn aelod yng nghapel y Priordy, Caerfyrddin o dan weinidogaeth ysbrydoledig Beti Wyn ac mai dynion y capel sy'n paratoi'r cawl adeg Gŵyl Ddewi a'u bod yn gweini'n gyfartal gyda'r merched.

Oedfa:
corlannau ohonom
yn wynebu rhes o flaenoriaid
moel, meddylgar;
meddai gŵr o'i bulpud,
'Diolch i'r gwragedd fu'n gweini - '
ie, gweini ger y bedd,
wylo wrth y groes –

'ac a wnaiff y gwragedd aros ar ôl?'

Ar ôl,
ar ôl y buom,
yn dal i aros,
a gweini,
a gwenu a bod yn fud,
boed hi'n ddwy fil o flynyddoedd
neu boed hi'n ddoe.

Ond pan 'wedir un waith eto
o'r sedd sy'n rhy fawr i ferched
wnaiff y gwragedd aros ar ôl
beth am ddweud gyda'n gilydd,
ei lafarganu'n salm newydd
neu ei adrodd fel y pwnc:

'Gwrandewch chi, feistri bach,
tase Crist yn dod 'nôl heddi

byse fe'n bendant yn gwneud ei de ei hun'.

('Wnaiff y gwragedd aros ar ôl?', *Merch Perygl*)

Lluniwyd y gerdd yn wreiddiol fel rhan o sioe i ferched ar gyfer Eisteddfod Genedlaethol Llanbedr Pont Steffan yn 1984. Bryd hynny, teimlwn yr awydd i efelychu sioeau a welais gan The Raving Beauties ond nid oeddwn yn ddigon hyderus fel perfformwraig fy hun i fentro ar lwyfan ar y pryd. Daeth y ddiweddar Emily Davies i'r adwy fel cyfarwyddwraig a chafwyd triawd o actorion, Judith Humphreys, Llio Silyn ac Eirlys Parri, i berfformio fy sgript wreiddiol. Gadawyd y gerdd uchod allan o'r sioe, hwyrach am nad oedd yn ffitio i'r themâu eraill nac yn ddigon dychanol efallai i gynulleidfa fwy seciwlar. Ond rhagflaenydd i sioeau barddol tebyg a drefnais yn ddiweddarach oedd *Rhyw Ddydd*, ac er fy amharodrwydd cychwynnol i berfformio, mentrais i'r llwyfan bedair blynedd yn ddiweddarach fel yr unig ferch yn y sioe 'Cicio Ciwcymbars'.

* * *

Aeth 'beth am roi gair o brofiad' fy nhad yn genadwri oedd ymhlyg yn fy nghanu o'r wythdegau ymlaen gan fy ngwneud yn fwy ymwybodol o'r angen i 'godi llais', gyda'r sylweddoliad fod iaith wedi ein caethiwo yn ogystal â'n rhyddhau. Wrth gydnabod gorffennol y traddodiad barddol a'i ogwydd gwrywaidd yr oedd modd darganfod beth oedd y bylchau ac edrych o'r newydd arnynt, rhyw fath o 'safwn yn y bwlch' benywaidd. Mae hanes ein cenedl yn llawn o fylchau ac adwyau beth bynnag, ond dyma weld fod modd llenwi'r bylchau hynny o safbwynt y ferch. Daeth eraill i ysgrifennu'n ddeallus am rai merched a fu ar goll, os nad yn golledig yn hanes ein llenyddiaeth, gyda phedair yn llunio rhifyn arbennig o'r *Traethodydd*, 'Merched a Llenyddiaeth', yn Ionawr 1986. Mae iddo glawr trawiadol ac arno lun o ddynion yn eistedd yn barchus. Dilynwyd y cyhoeddiad gan sesiwn yr Academi lle yr holwyd y pedair a'i lluniodd, sef Kathryn Curtis, Marged Haycock, Elin ap Hywel a Ceridwen Lloyd Morgan.

Fodd bynnag, ni wnaeth hynny atal adlach o du ambell fardd yn ddiweddarach, fel yr erthygl yn y *Western Mail* gan Alan Llwyd dan y pennawd 'Save us from poets' curse of feminism'. Byrdwn yr erthygl oedd:

> Feminism, bordering on the obsolete in other countries, has brought feminist criticism, favouring feminine and feminist poetry with social or political undertones, as well as overtones, and scorns poetry written without a social conscience by poets with individualist traits with a more personal, rather than collective attitude towards their art.

Ar wahân i'r cerddi yn *Rhyw Ddydd*, sioe ddigyfaddawd, ffeminyddol ei natur a'i bwriad, cerddi yn deillio o'r personol yw fy ngherddi. Nid fy mod yn gwadu fy mod yn ffeminydd. Rwy'n ffemninydd pan wyf yn gweld annhegwch at ferched yn digwydd ar draws y byd ac yn nes adref, ond pan wyf yn cyfansoddi rwy'n gweithredu fel 'negative capability' Keats, sy'n bodoli mewn ansicrwydd ac amheuaeth o bob cwr ac o bob cred. Chwilio am y ddynoliaeth a wnaf, yn wryw, yn fenyw, yn ddu, yn wyn, yn hoyw neu'n strêt. Ac weithiau mae bod yn sosialydd yn fwy pwysig na bod yn ferch; bryd arall mae ochri gyda dyneiddiaeth yn herio fy egwan Gristnogaeth. Hynny yw, lle'r bardd yw bod yn agored i bosibiliadau, eu chwilio'n barhaus ac addasu ei gweledigaeth yn ôl y gofyn.

Mae 'Bronnau Ffug' yn gerdd wrthffeministaidd i raddau gan ei bod yn feirniadol o'r ferch yn ei hymdrech i gael bronnau mwy. Ei ffolineb hi, yn hytrach na'i chariad, sy'n esgor ar weithred seithug ei chariad yn dwyn arian er mwyn iddi gael ei dymuniad:

> 'O dan fy mron'
> yw byrdwn barddoniaeth,
> ac eto, ni holodd neb

am wn i,
    pa fath fron a gaed
neu a gollwyd.

A rhaid
y gallem gymhwyso
gwireb yr oes:
i rai, mae'r cwpan yn hanner llawn,
i eraill yn hanner gwag.

A gwag sy'n gweddu i wragedd;
ni welant fod yn y nefoedd 'faith'
le i'r bronglwm lleiaf,
cans y mae i sêr y sgrin
rin sy'n sgleinio o noethion;
wrth ffluwchan ar set ffilm
        cyn cael eu saethu.

Perthi aur ydynt sy'n methu
peidio â brolio o'u bryndiroedd.

Ac i'r rhai a'u cafodd, o'u hanfodd,
mewn helaethrwydd,
fe berffeithiwyd y gelfyddyd
o'u trin â dychan:
            yn 'silffoedd', yn 'hamocs',
                    yn jygiau i'w jyglo
wrth wasgu'n denau trwy dyrfa.

Ond i fflwffben o eneth,
penbleth ei dyddiau oedd
hanner byw yn eu tir diffaith,
a phan ddaeth gŵr heibio a mynnu
nad oedd 'cost lle roedd cariad',

meddai,
'O dan fy mron',
bywyd gwraig sydd fel dwy fron.

Gorffen y gerdd yn geryddgar ddychanol o'r ferch fel hyn:

Stori garu yw hon –
'O dan fy mron' o helbulon,
yn syw, yn sur,
aeth ef ger *bron* ei well,
at *feinciau* eraill,
    a'i gwpan e, ni orlifodd
wedi hynny.

Am ei ffiolau hi?
Wedi'r strach a'r straeon
anogodd i'w henwogion
ganu'n ddiolchgar,
am foethion, doethion o dethau

'sy'n para tra bo dwy'.

('Bronnau Ffug', *Merch Perygl*)

Chwerthin a wna'r rhan fwyaf wrth wrando ar y gerdd hon, ond daeth bardd ataf ar ôl darlleniad unwaith a dweud wrthyf mai hon yw'r gerdd ddwysaf imi ei llunio erioed. Moeswers: ni all bardd ragdybio sut y bydd rhywun yn ymateb i unrhyw gerdd.

* * *

Wedi 2001, roeddwn yn teimlo'n fwy hyderus i fentro gyda thestunau a gyfrifid yn rhai tabŵ. Roedd 'Dim ond Camedd' yn ymdrin â'r dulliau diweddaraf o greu y bronglwm perffaith ond mae yna dristwch hefyd yn y gerdd honno. Dychan sydd wrth wraidd 'Y Dydd ar ôl Dydd

Ffolant' pan ddychwelir dillad isaf i'r siopau gan wŷr oedd yn credu y byddai eu pwrcasu yn plesio eu gwragedd, a chefais fwynhad yn ailgyflwyno gair fel 'esgeulus wisg' (o eiriadur Bodvan Anwyl) am 'negligee'. Pynciau oedd y rhain na fu mentro arnynt o'r blaen ac onid dyna yw un o gyfreidiau'r bardd, sef darganfod gorwelion newydd i'r iaith? Neu gerdded ar gae o eira heb ôl troed arno. Dyna a wneuthum hefyd gyda 'Diwinyddiaeth Gwallt', cyfres o gerddi am berthynas y ferch â gwallt. Ni wn am un pwnc sy'n agosach at ferch na'i gwallt a cheisiais archwilio hynny, unwaith eto mewn modd ddychanol. Caiff Adda ei bortreadu, hyd yn oed, fel triniwr gwallt sy'n eiddigeddus o drwch gwallt hyfryd Efa. Dim ond wedi imi ei llunio y sylweddolais ei fod yn bwnc a fu yn destun awen yn nwylo beirdd o ddynion drwy'r oesau. Ond a yw'r ffaith imi ysgrifennu am wallt a merched yn ddigon o ffon fesur i'w clustnodi'n gerdd ffeminyddol?

Dyma gau pen y mwdwl ar y 'ffeminyddol' neu'r bardd benywaidd drwy ddatgan imi fod yn gyndyn ynglŷn â'm galw fy hun yn ffeminydd nes i'm cymar ddatgan na ddylwn wadu'r ffaith honno ond yn hytrach ei choleddu, ac yn wir, orfoleddu ynddi. Dengys hynny hefyd nad yw ffeminyddiaeth yn gyfyngedig i'r ferch yn unig a bod dynion yn ogystal wedi gweld y diffyg cyfartaledd sydd rhwng y rhywiau, a'u bod yn barod i godi eu lleisiau dros degwch i'r rhyw deg.

O hynny ymlaen, ymgollais mewn barddoniaeth gan ferched ar draws y byd gydag Elizabeth Bishop, Denise Levertov (sydd o dras Cymreig), Adrienne Rich, Emily Dickinson, Gwendolyn Brooks ac eraill yn ffynhonnell ysbrydoliaeth, yn oystal â beirdd gwrywaidd fel William Stafford a Walt Whitman.

* * *

Erbyn 1989, daeth y gwahoddiad i gyhoeddi fy ngwaith yn Saesneg mewn antholeg o'r enw *The Bloodstream* o Wasg Poetry Wales. Rhyfeddais at y cais, o gofio nad oeddwn wedi cyfieithu fy ngwaith ar wahân i wneud ambell gyfieithiad ffwrdd-â-hi ar gyfer cyfarfodydd Cyfeillion y Ddaear, neu Streic y Glowyr neu mewn ralïau heddwch. Yn sydyn, roedd angen trosiadau a dyma droi at rai cyfeillion i wneud y gwaith. Bryd hynny, yr oedd y ddwy Academi yn tueddu i fodoli ar wahân, ac felly, roedd gweld cerddi yn Gymraeg ac yn Saesneg yn gyfochrog yn rhywbeth lled newydd. Cafwyd ymateb da mewn adolygiadau ac anogaeth i gyhoeddi cyfrol gyfan o'm gwaith yn Saesneg. Yn 1990, gofynnodd un wasg i mi gyhoeddi cyfrol ddwyieithog, ond aeth chwe blynedd heibio cyn imi ildio i'r pwysau cynyddol i gyhoeddi a darllen i gynulleidfaoedd di-Gymraeg. Mynnwn, fel heddiw, mai bardd Cymraeg oeddwn ac mai fy mlaenoriaeth oedd cyhoeddi ac ysgrifennu yn Gymraeg yn ddilestair – hyd yn oed os anwybyddwyd fy ngwaith gan olygyddion *Blodeugerdd o Farddoniaeth Gymraeg yr Ugeinfed Ganrif*, Alan Llwyd a Gwynn ap Gwilym, deuai gwahoddiadau o'r Iseldiroedd, Catalwnia, yr Alban ac Iwerddon a chael a chael oedd hi imi allu derbyn pob gwahoddiad.

Tua'r un pryd blodeuodd antholegau gan ferched, gyda gweisg fel The Women's Press a'r cylchgrawn *Spare Rib* yn rhoi pwyslais ar waith merched ac yn gofyn am ganiatâd i ailgyhoeddi ambell gerdd o'm heiddo. Dyma'r adeg pan aeth merched ati i ddarllen yn gyhoeddus, boed ar lwyfan neu mewn ceginau. Cyfnod oedd hi pan oedd hyn yn fodd i leisio anniddigrwydd am y sefyllfa wleidyddol a chymdeithasol. Yng Nghymru, daeth nosweithiau 'Poems and Pints' yn ddull poblogaidd o fynegi rhwystredigaeth.

Fy awydd i greu cyfeillach gyda beirdd o ferched oedd y tu ôl i'r ddwy flodeugerdd i ferched a olygais, sef *Hel Dail Gwyrdd*, a gyhoeddwyd gan Wasg Gomer yn 1985, a'r flodeugerdd fwy mentrus *O'r Iawn Ryw* o Wasg Honno yn 1991. Cyndyn, er hynny, oedd beirdd benywaidd Cymraeg i gymryd yr awenau yn gyhoeddus tra serennai rhai di-Gymraeg megis Jean Earle, Sally Roberts Jones, Gillian Clarke a Sheenagh Pugh, i enwi rhai yn unig.

* * *

Un o'r ychydig gerddi a luniais fel 'mam-gu' yw 'Carco yn y Crem'. Nid cerdd hunandosturiol fel Canu Llywarch Hen mohoni ychwaith. Dyma gloi'r bennod, felly, gyda cherdd dyner, ddwys a gychwynnodd fel hwiangerdd wrth warchod fy wyres dri mis oed tra oedd ei rhieni yn y gwasanaeth. Lluniais hi ar ôl syllu o ffenest fy nghar ym maes parcio crematoriwm gan weld twmpathau o olion gwahaddod, y rhai sydd yn ailgylchu eu hanadl i oroesi. Cyfarch fy wyres, Beca Elfyn, a wnaf yn y gerdd hon:

Fy mechan, lle rhyfedd i fod
ar b'nawn Gwener yn Ionawr –
mewn cerbyd stond gan haeru'r

awr i ni ein hunain. Byd
llawn dychmygion sy' rhwng ein dwylo,
pob rhuglyn yn syn o'i siglo

nes troi'r sain yn wên. Y tu draw im
mae eil i alar, mintai ddwys
yn dystion i un sy'n gorffwys.

Nid fel nyni. Dianafus ydym,
wedi ein rhwymo â gwregys ger clawdd
nad oes terfyn iddo. Sbia mor hawdd

yw ffordd gwahaddod. Twmpathau glân
yn gorseddu'r pridd. Partïon o bridd,
yn dathlu'n foddhaus eu heinioes gudd,

y rhai sy'n twrio'n is ac yn is, lawr
i'r dyfnder pell wrth ail-fyw eu hanadl,
ailgylchwyr aer yn estyn pob hoedl.

Y rhin hon, nid yw'n eiddo i'r ddynolryw.
Harddwch at lwch yw'r hyn a'n dwg
i'r fangre boeth. Fe'n magwyd i'r mwg.

Ond yr awr hon, cwsg yn esmwyth, fy mach i.
Mor dragwyddol yw ennyd o warchod plentyn.
Hyn dry weddill ein dyddiau yn fellt ar laswelltyn.

('Carco yn y Crem', *Murmur*)

5
TEITHIAU BARDDOL

Ddiwedd yr wythdegau, yr oeddwn yn barod i fentro i'r llwyfan a darllen fy ngwaith i gynulleidfaoedd amrywiol. Cofiaf ambell ddigwyddiad trychinebus, fel y darlleniad uniaith Gymraeg yn neuadd fawr Hackney ar noswyl cynhadledd flynyddol y CND. Doedd gen i ddim cyfieithiad Saesneg wrth law a rhaid oedd cyflwyno'r gerdd yn gynnil yn Saesneg cyn ei darllen. O leiaf roedd yna ddistawrwydd llethol wrth i filoedd, am wn i, bendroni uwch dieithredd y Gymraeg. Achlysur gwaeth o lawer oedd darlleniad yng ngorllewin Cymru i gymdeithas oedd yn ymgyrchu dros yr amgylchedd. Cyn i mi gyrraedd diwedd y llinell gyntaf, gwaeddodd un o'r gynulleidfa arnaf i droi i'r Saesneg. Cododd banllef o brotestiadau ymysg y Cymry Cymraeg – hinsawdd wahanol, onid e, i'r un yr oeddem yn ymgyrchu drosti!

Anodd yw hi i rai heddiw ddeall cymaint o fygythiad oedd cael merch yn hawlio'r gofod ar lwyfan yn yr wythdegau. Ceid dywediad fel hyn: 'men look at a man reading poetry and they listen; they see a woman reading poetry, they look, and if they like what they see – they listen'. Hwyrach fod hynny yn annheg â mwyafrif y gynulleidfa farddol y down ar eu traws, ond mae'n wir, er hynny, bod presenoldeb 'y ferch' yn gallu bod yn heriol i rai pobl. Pan ddaeth barddoniaeth gyhoeddus yn boblogaidd ar ffurf 'Stomp', ddegawd yn ôl, prin oedd y merched oedd yn barod i fentro i'r cylch hwnnw. Llwyddodd merched gyda'r 'Talwrn', er hynny, i fynnu eu lle a gwneud eu marc. Ond marciau am farddoniaeth? Rhywbeth gwrthun oedd e i mi.

Mae pethau wedi newid ers hynny. Ond nid oedd bod yn un o'r cyntaf i berfformio yn gaffaeliad. Ystyrid y peth yn yr un modd ag roedd merch yn camu i'r pulpud yn y chwedegau yn weithred amheus gan rai. Gallai bardd o ddyn edrych fel trempyn mewn noson 'Poems and Pints' gan hyrwyddo ei statws fel bardd Dylan Thomasaidd go iawn. Onid oedd awyrgylch y dafarn hefyd yn fangre hwylus i ddyn o fardd a oedd wedi hen arfer â'r lle fel man cysurus ar ei gyfer?

Felly i ferch, anodd oedd sefyll ar lwyfan, yn aml mewn tafarn neu glwb. Ond po fwyaf o adwaith a gawn, anffafriol neu ffafriol, mwyaf yn y byd y datblygodd hynny'r ysfa ynof i barhau i ddarllen fy ngherddi yn gyhoeddus. Roedd y ffaith bod y cerddi yn Gymraeg yn ffactor arall, ac roedd arnaf awydd i roi llais i'r iaith. Fel y dywedais mewn cerdd ddiweddar:

> A dywedodd gwleidydd o Sais,
> yn gyhoeddus,
> yn yr iaith fain wrth gwrs,
> iaith breifat yw'r Gymraeg.
> 'Ie', porthwn –
> iaith drws caeedig,
> iaith y buarth,
> iaith y dorth fach,
> iaith hwyl y baw.
>
> ('Marwnad i Ieithoedd', *Bondo*)

Gwelwn fy hun fel lladmerydd wrth herio meddyliau pobl ynghylch yr iaith drwy wneud iddynt ei chlywed ar lwyfan, gan fynnu tawelwch ac urddas torf i wrando arni. Cymhelliad nid annhebyg i feirdd y 'Beats' yn America'r pumdegau a'r chwedegau, a geisiai ymladd yn erbyn 'gormes' ar ran y genhedlaeth 'beaten down'. Ac onid oedd hi'n hwyr bryd i ni Gymry hawlio'r gofod – a hynny yn Gymraeg? Efelychu dull y 'beatniks' yr oeddwn, y rhai wedi'r Ail Ryfel Byd oedd yn gwrthryfela yn erbyn diwylliant goruchafol. Dyna oedd y tu ôl i drefnu 'Fel yr Hed y Frân' fel taith anarchaidd drwy Gymru yn 1986. Câi unrhyw un ymuno â'r daith honno, a'r selogion oedd Gerwyn Wiliams, Ifor ap Glyn a minnau. Ddwy flynedd yn ddiweddarach, roeddwn wedi perswadio Iwan Llwyd, Steve Eaves ac Ifor ap Glyn i greu taith fwy proffesiynol ei naws, sef 'Cicio Ciwcymbars'. Ar wahân i ddarllen mewn tafarndai, byddem yn ymweld ag ysgolion yn ystod y dydd gyda'r nod o boblogeiddio barddoniaeth gyfoes ymysg disgyblion ifanc.

Chwith i'r dde: Iwan Llwyd, Menna Elfyn, Steve Eaves, Elwyn Williams; cefn: Ifor ap Glyn

Fel yr unig ferch, fy nod oedd dangos nad cystadlu oedd yr unig ddull posibl o gyflwyno cerddi. Mae'n wir i mi gael fy swyno gan feirdd benywaidd a oedd yn feirniadol o'r drefn batriarchaidd oedd a'i bryd ar dra-arglwyddiaethu yn hytrach na chydweithredu. Merched o feirdd oedd y rhain a ddaethai at ei gilydd, yn sgil y rhyfel yn Fiet-nam, i ddarllen eu gwaith er mwyn codi arian neu brotestio am y drefn a fodolai. Roedd pwrpas arall i'r darlleniadau hyn yn ogystal â'r elfen o fwynhad wrth greu adloniant newydd, sef yr awydd i annog eraill i fod yn rhan o'r awyrgylch diwylliannol a chymdeithasol.

A minnau'n encilwraig wrth reddf, ni allaf ddweud imi fwynhau'r profiad yn llwyr, ond yn 1993, cynigiwyd taith arall imi ei threfnu gan Gyngor y Celfyddydau a welodd mor llwyddiannus oedd 'Cicio Ciwcymbars'. Y tro hwn, ymunodd Elinor Wyn Reynolds, Ifor ap Glyn a Cyril Jones â mi a chafodd 'Dal Clêr' ei darlledu fel y daith flaenorol ar S4C.

Ar ddechrau'r nawdegau, cefais y syniad o fynd â barddoniaeth i fannau anghyfarwydd megis ffatrïoedd a swyddfeydd yng Nghymru fel ffordd o hyrwyddo'r Gymraeg a barddoniaeth. Fe'm hysbrydolwyd gan Simone Weil a'i syniad o'r angen i rannu gyda'i chyd-weithwyr yr arwrgerdd 'Yr Iliad'. Fy mwriad oedd cael y diweddar Athro Gwyn Alf Williams i roi pwt o hanes Cymru iddynt yn gyntaf, ond bu farw'r hanesydd cyn i ni allu gwireddu y syniad cyffrous hwnnw.

Euthum ar daith arall yng nghwmni'r diweddar Iwan Llwyd a'r diweddar Nigel Jenkins. Cefais wahoddiad yn 1996 i fynd i ddarllen yn America gan Beth Phillips Brown wedi iddi ddarllen *Eucalyptus*. Ond roeddwn yn ofnus o fynd yno ar fy mhen fy hun a dyma droi at fy nghyfaill Nigel Jenkins i ymuno â mi ar y daith. Wedi clywed am ein cynlluniau, dywedodd Iwan hefyd y dymunai ddod gyda ni. Ymestynnodd y daith dros saith talaith – a dyma'r gerdd 'Cot Law yn Asheville' yn deillio o golli fy nghot:

Mynd heb got o gartre?
Na, hyd byth.
A hyd yn oed wrth ehedeg
i le diangen am hugan
daw gwlybaniaeth fy nghenedl
a'm tywallt, yn walltfeydd.

Doedd neb arall yn torsythu cot,
neb yn arddangos ymbarelau.
Ond po fwyaf tyner yw'r tymor,
mwyaf yn y byd yr ofnwn ei frath.

Dadlau oeddwn wrth y bar
mor ofnus ddiantur oedd y Cymry.
'Fydde neb yn mentro gollwng cot law
rhag ofn rhyw ddilyw,
llai fyth bod mewn esgeulus wisg.
Sych genedl yr haenau ydym,
yn dynn at yr edau.'

* * *

Ond y gwir gwlyb amdani yw
imi gael fy nal, fy hunan bach,
yn magu cot yn Asheville
a hithau'n cymdoga haf.
Ac yng ngwres ei lesni, ei gadael
yn dalp o neilon ar gefn rhyw sedd.

Ie, myfi o lwyth y rhag-ofn-leiafrif
yn cael fy nal gan anwadalwch.
Gwynt teg ar ei hôl
wrth imi ddychwelyd i Gymru,
yn eneth â'm dwylo'n rhydd
– yn gweddïo am storom Awst.

('Cot Law yn Asheville', *Perfect Blemish/ Perffaith Nam*)

Llwyddasom i ymweld â'r taleithiau o fewn cyfnod o dair wythnos a hanner, gan hedfan bob yn eilddydd. Wrth ddarllen mewn prifysgolion, sylweddolem mai dyma'r tro cyntaf i lawer o fyfyrwyr glywed y Gymraeg. Cawsom groeso brenhinol mewn llawer lle, yn enwedig yn Remsen:

… 'O Gymru?' meddai llais gwraig â'i llond o fwg a derbyn.
Yn angof aeth cynnen gaeaf ein mamwlad wrth i wanwyn

Ar daith gyda Nigel Jenkins ac Iwan Llwyd yn America, 1996

> y taleithwyr droi'n gantata dros genhadaeth ein barddoniaeth.
> 'Ond ble mae'r Maer a ble mae'r faner?' lleisiai un gan godi
> asgwrn i'w glust a bu amenio i'w ymbil, a'r cysegr yn porthi
> ei dwymeiriau. Erbyn hyn, roedd y dorf yn gytûn, yn gynnes,
> yn Gymry newydd, yn brolio achau hyd eu breichiau.
>
> ('Remsen', *Merch Perygl*)

Diwedd yr wythdegau oedd dechreuad y blaguro ym maes gwyliau llenyddol. Cyfieithodd Mererid Hopwood y gyfrol *Eucalyptus* i'r Almaeneg, a chynyddodd y diddordeb o fannau annisgwyl eraill. Cefais wahoddiad i Ŵyl y Gelli, yr ail flwyddyn y'i cynhaliwyd. Roedd yr awduron yn rhai lled ddethol a'r gynulleidfa'n brinnach. Cefais fy ngwahodd yn gyson wedi hynny i gymryd rhan yn eu digwyddiadau llenyddol.

* * *

Datblygais fy null arbennig fy hun o ddarllen cerddi yn gyhoeddus. Byddwn yn dechrau pob cerdd yn Gymraeg gan lithro i mewn wedi rhai llinellau i roi'r gerdd yn ei chyfanrwydd yn Saesneg a throi eto at y Gymraeg fel diweddglo. Drwy wneud hyn, nid oeddwn yn cau allan fy nghynulleidfa nac yn gwneud iddynt ddiogi wrth ddisgwyl am y cyfieithiad. Gyda'r dull hwn, medrwn asio'r ddwy wedd mewn ffordd ddramatig. Mynnai rhai fy mod yn darllen gyda mwy o angerdd yn Gymraeg, tra rhyfeddai eraill at goethder y cyfieithiad. Daeth un bardd Rwseg ataf ar ddiwedd darlleniad yn Donetsk, un a gyrhaeddodd yn hwyr heb glywed y drefn a fabwysiadwn wrth ddarllen, gan ddweud: 'Tell me why do you have to do this abracadabra every time before you read!' Iddo ef, iaith abracadabra oedd y Gymraeg, rhywbeth sydd bob amser yn codi gwên. Onid hud a lledrith yw barddoniaeth ar ei gorau? Neu dyna'r wraig a ryfeddai at y Gymraeg gan ddweud ei bod yn iaith mor 'succinct' o'i chymharu â'r Saesneg, a rhaid oedd dweud wrthi mai talfyrru yr oeddwn a'n bod fel siaradwyr pob iaith arall yn oreiriog yn aml.

'Where did you get your Welsh – on top of Cader Idris?' meddai dyn o Lynebwy wrthyf yng Ngŵyl y Gerddi. Daeth un arall ataf yn Rwmania a gofyn am fy llaw gan ei fod yn medru darllen meddyliau'r bardd. Ond meddyliau eraill oedd ar ei feddwl yntau. Weithiau, mae angen bownsers go iawn ar feirdd hefyd!

O'r holl gerddi a ddarllenais, 'Cusan Hances' yw'r un sydd wedi cydio yn nychymyg pobl. Clywaf rai yn cyfeirio yn achlysurol at y sylw hwn gan R. S. Thomas ynghylch cyfieithu – ei fod fel cusan hances – am iddynt ddarllen fy ngherdd. Dyma gerdd a gyfieithwyd i nifer o ieithoedd, a hyd yn oed i'r Punjabeg, er i'r bardd Mazhar Tirmazi ddweud wrthyf nad oedd hawl ganddynt i ysgrifennu am gusanu yn ei famiaith. Dyma gerdd sydd nid yn unig yn sôn am drosi ond am ddiniweidrwydd neu ofnusrwydd y Cymry. Neu hwyrach mai cerdd sydd yn adrodd fy mhrofiad innau ydyw yn bennaf:

Anwes yn y gwyll?
Rhyw bobl lywaeth oeddem

yn cwato'r gusan ddoe.
Ond heddiw, ffordd yw i gyfarch

ac ar y sgrin fach, gwelwn
arweinwyr y byd yn trafod

hulio hedd ac anwes las;
ambell un bwbach. A'r delyneg

o'i throsi nid yw ond cusan
drwy gadach poced, medd ein prifardd.

Minnau, sy'n ymaflyd cerdd ar ddalen
gan ddwyn i gof gariadon-geiriau.

A mynnaf hyn. A fo gerdd bid hances
ac ar fy ngwefus

sws dan len.

('Cusan Hances', *Perfect Blemish/ Perffaith Nam*)

Er imi ddarllen ar draws y byd mewn mannau godidog a dychrynllyd, mae gennyf un gerdd sy'n atgof am ddarlleniad cofiadwy o gynnes, dafliad carreg o'm cartref, ym mhentref Llandysul yn 1999. Cerdd yw hi a luniwyd o ganlyniad i ddarlleniad yn y neuadd un noson ym mis Tachwedd. Wedi'r darlleniad, ni wnaeth yr un o'r gynulleidfa ystwyrian o'u sedd a'r stafell heb fod yn rhy gynnes. Go brin, meddyliais yn dawel bach, imi eu parlysu neu eu rhoi mewn perlewyg! Gan na wnaeth neb yr un arwydd i godi, doedd dim i'w wneud ond troi'r drol arnynt a'u holi beth oedd yn eu meddyliau wrth glywed y cerddi. Nodais, cyn dechrau darllen y noson honno, yr hoffwn i'r cerddi eu hatgoffa o'u bywydau hwy eu hunain. Mae'r gerdd felly yn cynnwys ymatebion i'r cerddi a ddarllenais, ac yn fewnwelediad gwych i fardd dreiddio i feddyliau'r gynulleidfa:

Mae gen i gêm newydd. Wedi'r darlleniad
Rwy'n eistedd i lawr. Estyn am lymaid.

A chan nad oedd neb am holi, gofyn wnaf
Ble fuon nhw yn ystod yr awr, a chaf

Un neu ddwy yn adrodd, yn wirion bach i ddechrau,
Oddi ar frest, fel mewn seiat, ffrwd o eiriau.

Tybed, fe'u holaf, na ofynnodd neb
Inni yn gyson yr hyn a gofiwn? A daw ateb

Gan seren sydd yn gloywi. Rhaid wrth un pefriad
Mewn ffurfafen ddu i ddeffro'r lleill at y syniad.

'Meddwl own,' meddai, 'wrth glywed am ystlumod –
Nos Sul yn yr Eglwys, a'r Cymun yn barod

A'r ciwrad yn ei gynnal. Mae'i lais yn rhy dawel
Ond roedd y 'stlumod yn llawn o ddireidi uchel

Yn rhedeg nôl ac ymla'n gan fwynhau'r aflonyddwch.
Wnaiff e ddim rhoi lliain ar y Bwrdd. Meddyliwch?

Jest o'u hachos nhw. Ond mae'r taclau'n ei ddeall, trwy'r cwbwl.
A da eu bod.' Mae pawb yn gwybod beth sy'n ei meddwl.

Yna, daw un o'r cyrion. 'Wrth glywed am y galon anwel
Fe gofies am fynd â'r ci am dro un bore, a gweld bin sbwriel,

Yr un cyhoeddus, ac ar ei wyneb, botel Fodca'n gorwedd
Yn wag. A nicars sidan. Na, nid sidan go iawn, rhyw neilon llynedd.

Rhyw esgusodiad am rai Ffrengig. Chi'n deall on'd 'ych chi?'
A wir, roedd pawb yn deall. Pawb yn darllen ei delwedd gyda miri.

Gan roi iddynt liw a llun. Pob un â'i ddychymyg yn heini.
A daw'r darlleniad diddalen i ben. Ac yna, bydd un yn oedi

Er mwyn diolch o ddifri. Yn enwedig am ryw gerdd fu'n llechu;
Heno y foscito oedd flaenaf. A oedd gennych brofiad ohoni,

Gofynnaf am y dihiryn dieflig. Na, meddai, dim ond teimlo'n
Falch i rywun eu cofio – beth wyddan nhw eu bod yn pigo

Na bod yr hyn ydyn nhw. A dyna gau pen y mwdwl.
A'r pigo arall wedi brathu. Yng nghelloedd dua'r meddwl.

A beth oedd y bardd wedi'r cyfan ond cyfryngydd go dila
Wedi eu tywys i fannau tu hwnt i'r ymennydd ysmala.

('Darlleniad Barddoniaeth', *Perffaith Nam*)

Wn i ddim beth ddigwyddodd y noson honno yn 1999, yn neuadd Llandysul, ond o ganlyniad i'r darlleniad, penderfynodd criw ddod at ei gilydd i ysgrifennu yn y neuadd unwaith y mis. Bodlonais ar fod yn fentor iddynt nes i'm teithiau niferus flwyddyn neu ddwy wedi hynny olygu na allwn wneud ymrwymiad misol. Bellach, maent yn cael gwahanol feirdd atynt a rhyw fardd ar alwad ydwyf innau pan fo'r bardd gwadd yn sâl neu ei gar wedi torri i lawr ar y ffordd. Eleni, byddant wedi bod yn grŵp ysgrifennu ers deunaw o flynyddoedd. Golygais gyfrol o'u gweithiau, *Teifi Whispers*, ar ddechrau'r mileniwm.

* * *

Er imi deithio i wahanol gyfandiroedd ac i wledydd cythryblus, cariwn y Gymraeg oddi mewn imi fel teml yn fy nghalon. I'r deml honno y trown wedi cau drws fy ystafell wely. Mynnodd fy nghyfaill Nigel Jenkins mai merch heb synnwyr amser na daearyddiaeth oeddwn, gan nad oedd yr un oriawr yn gweithio ar fy ngarddwrn ac na wyddwn y gwahaniaeth rhwng aswy a deau. Eto, llwyddais i ddychwelyd yn ddiogel bob tro o deithio ar fy mhen fy hun gan deimlo gwefr yr eiliad y croeswn Bont Hafren.

Bob man yr af, gwelaf Gymru yno. Pan oeddwn yn teithio yn Rwmania ac yn gweld y Mynyddoedd Carpathaidd yn y pellter, nododd un brodor mai eira'r oen oedd arnynt gan ei bod bron yn wanwyn. Dyma feddwl am gynhesu'r byd, a'r ffaith fod yna dalp o iâ, maint Cymru, yn toddi bob blwyddyn yn Antartica. Dyma gerdd a gomisiynwyd gan Barddas i'w darllen adeg Eisteddfod Genedlaethol Tyddewi, 2002:

> Eira'r oen, a iâ, dau efaill wir,
> Rhew yn y glesni olaf, dan ei sang –
> Ymddatod wnânt eu beichiau, gadael tir.

Gydag adleisiau o Gantre'r Gwaelod, dyma gloi'r gerdd gyda'r ofn y gall talp o iâ Cymru hefyd fynnu ei annibyniaeth, ond mewn ffordd annisgwyl wrth ein gadael:

> O'r Pegwn pell, glasddwr yw'n hanes hir,
> Wrth ymryddhau, bydd llithro ach i'r lli;
> Eira'r oen a iâ, dau efaill yn wir,
> Ymddatod wnânt eu beichiau, gadael tir.

('Iâ Cymru', *Perfect Blemish/ Perffaith Nam*)

Gyda phob taith ddarllen yr oedd dyletswyddau eraill ynghlwm wrth y gwahoddiadau. Cynnal gweithdai barddoniaeth oedd y gweithgareddau pennaf ac roedd hynny yn brofiad newydd i lawer o egin feirdd. Cofio'r siom ar wynebau rhai wrth i giw hirfaith ymgasglu yn Colombo, ac o ganlyniad bu'n rhaid imi wneud tair sesiwn un ar ôl y llall gan eu hannog i ysgrifennu yn yr iaith Tamil neu Sinhaleg. Roedd hyn, rywsut, yn dderbyniol gan fy ngwesteiwyr, er mai hyrwyddo'r iaith Saesneg yw pennaf nod y Cyngor Prydeinig. Mewn rhai gwledydd yn nwyrain Ewrop, byddent wrth eu boddau yn dadlau ynghylch cyfieithu, yn enwedig pan roddwn ddau gyfieithiad iddynt o'r un gerdd gan ofyn iddynt ddewis pa un oedd yn rhagori ar ôl imi adrodd fesul gair y gerdd yn Saesneg. Byddent mor frwd wrth ddadlau nes parhau i drafod hyd yn oed o gwmpas y bwrdd cinio. Profiad amheuthun i mi, fel Cymraes a brofodd beth gwrthwynebiad ar un adeg i gael fy ngwaith wedi ei gyfieithu, oedd gweld fy ngwaith yn blodeuo mewn ieithoedd eraill heblaw'r Saesneg.

Dylid cofio mai dyma'r tro cyntaf i rai cynulleidfaoedd dramor glywed y Gymraeg yn cael ei llefaru ar lwyfan. Cyfaddefodd darlithydd o Tallinn, ar ôl nodi i awdur enwog o Estonia, Ott Arder, hoffi fy nelweddau, 'Some mentioned they just came to hear the elf language'.

Am ddwy flynedd, bûm yn mentora egin awduron o wahanol wledydd yn Affrica, cynllun Crossing Borders a weinyddwyd gan Brifysgol Caerhirfryn ar ran y Cyngor Prydeinig. Holl fwriad y cynllun oedd rhoi cyfleoedd i awduron mewn gwledydd lle mae cyhoeddi llyfrau yn anodd a'r holl syniad o 'weithdy creadigol' yn un dieithr. Dysgais innau lawer am deithi meddwl yr awduron hyn o fannau fel Zambia, Kenya, Uganda, Nigeria a Zimbabwe wrth eu mentora. Byddent yn anfon gweithiau ataf a minnau'n gorfod anfon adborth manwl o fewn y mis. Weithiau, byddai ambell awdur yn diflannu a minnau'n ofni i mi fod yn rhy llym fy meirniadaeth, dim ond iddynt gysylltu wedyn gan ddweud, 'Sorry for the lull, I had another bout of malaria'. Nododd un arall ei fod yn ofni am ei fywyd gan iddo ysgrifennu am y profiad o fod yn hoyw. Ar adeg fel hon, y cwbl y medrwn ei wneud oedd cwnsela gan erfyn arno i gadw'n ddiogel. Profiad amheuthun oedd clywed i un awdures ennill gwobr am ei gwaith yn dilyn fy adborth ac iddi fynd allan a phrynu 'a much needed bed for my girls'. Fwy nag unwaith, nododd yr un awdur na allai gysylltu â mi am dipyn oherwydd marwolaeth ei chwaer, y drydedd i farw oherwydd effeithiau Aids.

Er i'r cynllun ddod i ben yn 2004, llwyddais i olygu cyfrol o farddoniaeth gan bedwar bardd, merched o Zimbabwe, a'i chyhoeddi gyda Gwasg Cinnamon. Cafodd *Sunflowers in your Eyes* ymateb rhyfeddol, er imi ofni egrwch eu profiadau a'u geiriau gwrthdystiol am y drefn a fodolai yno. Byddent yn glyfar iawn yn dysgu sut oedd ysgrifennu weithiau yn llechwraidd fel yr I.M.F. Na, nid yr International Monetary Fund mohono ond It's Mugabe's Fault. Dull perffaith o osgoi ei enwi fel teyrn.

O bryd i'w gilydd, caf wahoddiadau o hyd i ddychwelyd i Zimbabwe, yn enwedig gan rai yno sy'n fy ngweld fel 'sisi', eu gair hwy am 'chwaer'. Daeth un bardd draw i astudio'r MA o dan fy ngofal ym Mhrifysgol y Drindod Dewi Sant, ac aeth ymlaen wedyn i wneud ei ddoethuriaeth mewn Ysgrifennu Creadigol ym Mhrifysgol Caint.

Cyswllt gwahanol sydd gennyf â Tsieina, ac er imi gael fy ngwahodd yn ddiweddar i ddychwelyd i arwain gweithdai mewn colegau yno am fis cyfan, bu'n rhaid imi wrthod y gwahoddiad. Gormod o ddim nid yw dda. Ond profiad amheuthun oedd mynd ar y tram yn Hong Kong gyda fy ngherdd ar lun poster uwchben y seddau. Cafodd Adonis, bardd enwocaf Syria, a minnau y fraint o ddarllen ein cerddi wrth fynd trwy'r ddinas honno. Meddyliwch am floeddio'r Gymraeg i uchelseinydd wrth i bobl a edrych yn syn arnom. Er bod gennyf gyfrol mewn Tsieineeg yn dwyn yr enw *Drws yn Epynt*, wrth wrando ar y Tsieineeg yn y lansiad fe'm gogleisiwyd pan ynganwyd y gair 'Epynt'. Dyma holi'r cyfieithydd a siaradai Saesneg perffaith beth a wyddai am Epynt, a'i hateb oedd hyn: 'O, rydym wedi clywed am y trafferthion yn "Egypt"'. O ddarllen y gerdd eto, gwelaf fod iddi fywyd newydd ac ystyr newydd o gofio'r chwyldro ar Sgwâr Tahrir a drodd yn chwerw gyda chyn-bennaeth y fyddin yn awr yn deyrn newydd a Mubarak bellach allan o'r carchar. Ond neges arall oedd gennyf innau yn y pennill cyntaf a'r olaf isod, sef hanes Cymraes a'r cannoedd eraill y bu'n rhaid iddynt ildio Epynt i ofalaeth y fyddin, adeg yr Ail Ryfel Byd:

> *(ar ôl i wraig ofyn i swyddog o'r fyddin am gael cadw ei drws)*
>
> Mae yna ddrws sydd yn cau yn ei gyfer
> a drws sydd yn drysu amser,
> a'r gnoc sydd yn destun dwyster ...
>
> Eto weithiau, ar lym awel, clywn ddychryn –
> brath y drws yn agor, cau'n gyndyn.
> Gwrando pa drwst. 'Daear a gryn'. Gan erfyn.
>
> ('Drws yn Epynt', *Murmur*)

Do, agorwyd drysau imi ddarllen mewn mannau annisgwyl, ond daeth adeg pan fyddwn yn dyheu am dawelwch fy myfyrgell gan na fedrwn ysgrifennu o gwbl ar daith. Rhaid oedd cadw llyfrau nodiadau a'r rheiny yn rhy lwythog o lawer i ailymweld â nhw. Nid oedd imi ychwaith ddim o ramant y bardd ar daith ac er mai darllen oedd fy mhriod waith, yr oedd cyfweliadau gyda newyddiadurwyr, neu ddarn ar gyfer y radio lleol neu genedlaethol neu'r gweithdai, yn golygu nad oedd fawr o lonyddwch ar gael i greu yr un pwt o gerdd ar derfyn dydd. Dyna pam, hwyrach, i un o'm cyfieithwyr sylwi mai cerddi am gelloedd yw cerddi *Cell Angel*, yn bennaf y gell honno y dymunwn ei hawlio i myfi fy hun. Heb na chnoc ar ddrws na gwasanaeth stafell yn galw heibio.

Dyna pam mai mynd i ddod yn ôl bob amser oedd teithio oddi cartref. Byddwn yn teimlo'r hiraeth yn llethol ar ôl wythnos ac yn dyheu am y bondo a roddodd imi fendith dros y blynyddoedd. Cysgod y Graig, Llandysul yn wir, oedd y bondo hwnnw, a chysgod rhag gerwinder ydoedd. Bellach, ymgartrefais yng Nghaerfyrddin, dinas hynaf Cymru, a mwynhau llonyddwch o fath arall. A ddaeth i ben deithio byd? Wn i ddim, ond parhau a wna'r cyfieithu hebof. Mae iddo ei ehediadau ei hun.

Wrth imi lunio hyn o bennod, daeth y post â dau becyn, un gyda chyfieithiadau Ffrangeg o'r gerdd 'Catrin Glyndŵr' mewn cyhoeddiad o'r enw *OC Seteme de 2016 No 118*, France-Quercy, a llythyr gyda'r cyhoeddiad yn diolch am gael cyhoeddi'r cerddi! Ac yna parsel bach arall, *Zieleni sie drzewo pokoju/ The tree of peace turns green: European poetry for universal harmony*, Selected and edited by Aleksandra Soltysiak, Konrad Sutarski. Yn y gyfrol gain clawr caled, detholwyd beirdd o holl wledydd Ewrop a gwelaf fy mod innau yno fel un o bedwar bardd o ynysoedd Prydain. Rwy'n teimlo balchder fod y Gymraeg yno yn gyntaf, yna'r Bwyleg cyn y Saesneg – arwydd ein bod yn dal yn rhan o Ewrop – ond y syndod o hyd yw derbyn pecynnau fel hyn a cherddi wedi eu cyfieithu i ieithoedd na wyddwn eu bod yn cael eu trosi iddynt yn y lle cyntaf.

Ffynhonnau annisgwyl. Maent yno o hyd o dan y ddaear yn codi i'r wyneb. Dafnau fel nant y mynydd groyw loyw, gobeithio, fel y gerdd honno am y 'Cloc ar y Dŵr', y clociau cynnar hynny ar afon Nil a lifodd dros y byd i gyd mewn hen hanes. Lluniais hi wrth gydweithio gydag artist gwydr, Amber Hiscott, ar gyfer darn o gelf gyhoeddus yng Ngŵyl y Gerddi yng Nglynebwy yn 1992. Gosodwyd hi yno mewn nant fel argoel o'r gobaith am ddyfodol yr iaith:

Hud yr hylif
Heria'r oriau aneirif,
Yma, yma …

Dafn ar ddafn a gronna,
Fel egni'r iaith yng Nghymru:
Pura? Parha? Pery?

('Cloc ar y Dŵr', *Er Dy Fod*)

Ni wn am well delwedd na ffynnon wrth feddwl am yr iaith, a chyfieithu.

6
CYFIEITHIADAU

Pan oeddwn yn astudio'r Gymraeg yn y brifysgol, y ddelwedd am yr iaith Gymraeg a arhosodd gyda mi oedd honno'n disgrifio'r Athro John Morris-Jones yn puro'r iaith Gymraeg gan fynd at lygad ei ffynnon. Bob tro y meddyliwn am y Gymraeg, synio amdani fel 'ffynnon' a wnawn innau. Ond er mor lân yw ffynnon – ac yn fy meddwl i, ffynnon fy mam-gu a 'nhad-cu Deri yn Llysderi oedd honno – un peth hynod amdani yw'r ffordd y llifa'r dyfroedd yn dawel o dan ddaear, yn guddiedig oddi wrth bobl sydd yn dymuno cael eu diwallu ganddi.

Agor ffynnon fy ngherddi oedd yr awydd cyntaf ynof i alluogi darllenwyr di-Gymraeg i gael ambell ddafn o'i llifeiriant. Teimlwn yr awydd i rannu fy mhrofiadau gyda hwy hefyd gan gofio imi gael fy magu mewn cwm lle roedd y Gymraeg a'r Saesneg yn byw o boptu ei gilydd, yn gytûn.

Hwyrfrydig oeddwn i, er hynny, i weld fy ngwaith mewn cyfieithiad ac aeth bron i ddau ddegawd heibio cyn imi fentro arni a gwneud hynny oherwydd llwyddiant yr hanner dwsin o gerddi a gyhoeddwyd gan Wasg Poetry Wales, gwasg Seren erbyn heddiw. Roedd cael rhywun fel Tony Conran yn clodfori'r cerddi wrth olygu *Eucalyptus* yn ias y gallaf ei theimlo hyd heddiw. Meddai mewn rhagymadrodd i *Eucalyptus* yn 1995:

> Poets in Welsh (as in other languages) sometimes give the impression that Welsh poetry is a kind of exclusive male

> club – with, at most, a few token poetesses – where any resemblance to what people outside the charmed circle are thinking and feeling is purely coincidental. Menna Elfyn is not that sort of poet. She was more or less forced to go bilingual.

Gorfodaeth fodlon ydoedd er hynny! Erbyn 1995, roedd Cymru fel cenedl yn prysur newid a Chymry yn gyffredinol yn fwyfwy ymwybodol o'u Cymreictod drwy sefydliadau megis S4C ac ambell frwydr fel Streic y Glowyr. Pan sefydlwyd y Cynulliad, teimlwn fod Cymru ar y ffordd i fod yn un genedl. Onid rhyfedd, felly, na fyddai llenyddiaeth, o bob gweithgaredd, ar gael i gynulleidfaoedd yn y ddwy iaith? Roeddwn yn 1989 wedi llunio drama, yr unig un o'i bath hyd yma yng Nghymru, mewn pum iaith, sef 'Madog' gan Theatr Taliesin Wales, a berfformiwyd yng nghanolfan y Samaj yn Grangetown. Ar wahân i'r actorion proffesiynol Cymraeg eu hiaith, brithwyd y gwaith gydag ieithoedd fel Gwjarati, Hindi ac Urdu. Darllenais gerddi Cymraeg mewn nosweithiau yn y Chapter yn Nhreganna gyda bras gyfieithiadau Saesneg, a hynny gyda bardd Urdu o'r brifddinas. Profiad cyfoethog i mi oedd clywed ieithoedd eraill yn cael eu llefaru a theimlwn fy mod yn croesi'r bont at ddiwylliannau eraill. Gresyn nad ydym wedi gwneud digon o groesi pontydd at leiafrifoedd eraill yng Nghymru.

Ond dyma dderbyn, felly, bod sefyllfaoedd newydd yn galw am ymateb newydd, a theimlwn mai cyfieithu fy ngwaith gan eraill oedd y dull gorau o gyflawni hynny. Nid myfi yn unig a deimlai fel hyn; roedd y bardd o Dde Affrica, Antjie Krog, hefyd yn teimlo'r un fath ar ôl i apartheid gael ei ddileu a hithau wedi ymgyrchu dros hynny fel aelod o'r ANC. Dywedodd: 'people were desperate to find one another after so many years of being kept apart. To stay in your language meant to stay apart.' Ond pwysleisiodd hefyd yr arwahanrwydd gwirfoddol pan ddywedodd, 'In English I wanted to stay the Other.'

Yr Arall fydda i wastad yn Saesneg. Ac rwy'n ymhyfrydu yn hynny achos iaith fy nychymyg yw'r Gymraeg a thrwyddi y gwelaf y byd loywaf. Weithiau, dywedaf mai iaith ymenyddol yw'r iaith Saesneg, iaith academaidd yr ysgol, tra bo'r Gymraeg yn gorff ac enaid, yn feddylfryd ac yn awyddfryd.

Troi wnes yn gyntaf at gyfeillion o feirdd. Roedd Nigel Jenkins wedi cyfieithu fy ngwaith, a minnau ei waith yntau, ar gyfer gwahanol brosiectau fel gosod barddoniaeth mewn mannau penodol yn ninas Abertawe. Gan y bu Gillian Clarke a minnau yn cydweithio yn y brifysgol yn Llambed, daethom i adnabod gwaith ein gilydd a throswyd ambell gerdd ganddi. O dipyn i beth, daeth trosiadau i'm llaw a oedd yn ymagweddu fel cerddi newydd yn hytrach na geiriau ffwrdd-â-hi wedi eu glastwreiddio mewn iaith arall. Bu un cyfieithydd o fardd, a chyfaill agos, yn fy ymyl ar hyd y daith hyd heddiw, sef Elin ap Hywel. Fel merch i weinidog, gwyddai yr hyn a ddywedai fy nghalon heb imi orfod esbonio yr un gerdd iddi. Siaradem yr un math o iaith ac oherwydd ein magwraeth yn y Mans, byddai geiriau fel 'llariaidd' neu 'graslonrwydd' yn llifo'n hawdd ar ein gwefusau ac yn ein mynwesau rebelaidd. Bu Elin yn gymorth parod wrth drosi fy ngwaith, a minnau'n teimlo hynny'n fraint anhreuliedig. Yn aml iawn, byddai adolygwyr yn cyfeirio at ei dull unigryw a phob cerdd o'i llaw yn un delaid.

Ond daeth dau ŵr doeth arall i'r adwy. Dau ddoethur hefyd a fu'n destun edmygedd ac, yn achlysurol, eiddigedd gan gyfoedion. Dau y mae fy niolch iddynt yn anfesuradwy am iddynt fod hefyd yn gyfeillion amddiffynnol ohonof. Dau na welodd Cymru erioed eu tebyg oedd Joseph P. Clancy a Tony Conran. Cymaint tlotach fyddai hanes barddoniaeth mewn cyfieithiad Saesneg heb y rhain.

Yn sydyn, roedd gennyf deulu newydd neu 'bownsers' da – rhai na fyddent yn caniatáu i gerdd fynd yn slei bach trwy ddrws ochr. Da cydnabod iddynt oll ymhyfrydu yn y gwaith heb wrthod trosi yr un gerdd o'm heiddo. Ymfalchïent o glywed am fy nheithiau a byddwn bob amser yn dweud bod yna gwmwl tystion o'm cwmpas cyn darllen eu cerddi.

Tony Conran oedd y symbylydd y tu ôl i ymddangosiad *Eucalyptus*. Gallaf gofio y tro cyntaf i mi gwrdd ag ef mewn digwyddiad yng Nghaerdydd ac amdano'n dweud iddo geisio fy nghyfieithu ond iddo fethu bob tro. Yn dilyn y cyfarfyddiad hwnnw, anfonais air ato gan ddweud imi synnu at ei anallu i'm cyfieithu. Onid oedd fy ngherddi mor glir â golau ddydd?

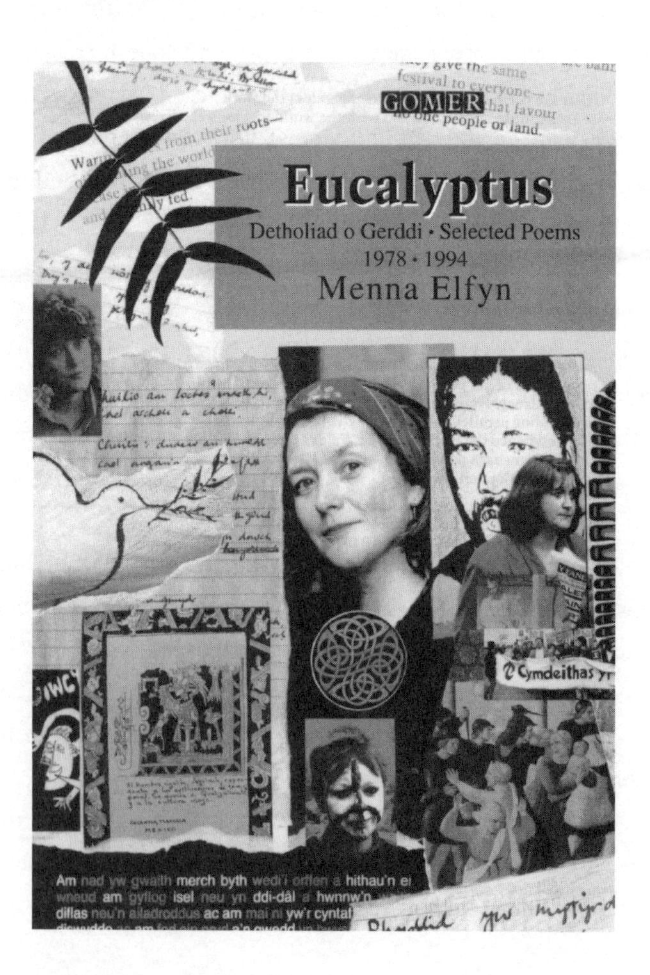

Daeth llythyr yn ôl ar unwaith gyda'r esboniad canlynol:

> When I was doing the last edition of Welsh Verse, I tried many times to translate some of your poems. Usually what happened was that I got three quarters of the way through, and then your meaning or some idiom eluded me … anyway what I should like is a guided tour. If you are willing to guide me. That is provide me with cribs. It is however, a terribly exposing thing, to be translated by me. I peer inquisitively into every crevice, fondle every bone and muscle and probably stick pins into it as well.

A dyna ddechreuad ein cyfeillgarwch a'n cyfathrebu dros ddegawdau. Sut na allwn ei dywys, er mai ef a'm harweiniodd innau gyda'i ddisgleirdeb yn fy nallu weithiau? Cyfaddefodd ei ofn o gyfieithu bardd o ferch mewn llythyr ataf ar 24 Awst 1994: 'I have always been afraid of translating women poets – apart from Ann Griffiths and one or two by Nesta, yours are the first I've managed … and I've been very moved by the poems of yourself as a mother.'

Gallai'r llyfr hwn gael ei orlwytho gan y llythyrau rhyngddo ef a minnau ar y daith farddol honno, gyda dwsinau o lythyrau a thameidiau o ddarlithiau. Digon, er hynny, yw nodi un sylw arall ganddo:

> One of the things I like about Elfynova is that the subjects one hesitates to venture on with her are things like the Moors murders or the Gulf war, not jolly old Llew Olaf and his thugs. Pethau, pethau, pethau … Unwelsh things … And yet, she's pretty pethauish when she wants to be … I think I should stop talking about the conservatism of the Welsh tradition … Consider: Llywelyn the Last. Dafydd ap Gwilym. Iolo Goch. Glyndŵr. Harri Tudor. Edmwnd Prys. Pantycelyn. Iolo Morganwg. Rebecca. Lloyd George.

> T. Gwynn Jones. 1926. Saunders Lewis. Gwenallt. Aneurin Bevan. Kitchener Davies. And now Menna Elfyn. Where's the conservatism in them?

Cyfieithydd arall y mae'n rhaid imi dalu teyrnged iddo am drosi fy ngwaith yw'r bardd a'r cyfieithydd Joseph P. Clancy. Hoffai dynnu fy nghoes fod gennyf fel ffeminydd fwy o ddynion yn trosi fy ngwaith nag o ferched! Fel Tony, byddai llythyrau Joseph – neu Joe fel y galwn ef – yn gyforiog o awgrymiadau o'r ffordd yr oedd wedi trosi ambell gerdd, a'r hyn a ddeuai i'r wyneb po fwyaf y gohebem â'n gilydd oedd y ffordd yr oedd ein bywydau bob dydd yn gorlifo dros y gwaith o gyfieithu. Cofiaf o hyd 9/11 a'r ffordd y teimlodd ef a Gerrie, ei wraig, llenor dawnus ei hun, y drychineb i'r byw a hwythau wedi ymddeol i dawelwch Aberystwyth yn 1990. Hyn oll oherwydd ei gariad dwfn at Gymru yn sgil ei ymroddiad i gyfieithu holl weithiau Dafydd ap Gwilym i'r Saesneg. Caf foddhad o feddwl iddo drafferthu gyda fy ngherddi innau. Nid ydym fel cenedl wedi cydnabod yn ddigonol y ddau gawr yma, ill dau yn feirdd o'r radd flaenaf, yn gyfieithwyr, yn Gatholigion hefyd. Hiraethaf o hyd am y ddau gyfaill a wnaeth gymwynas aruthrol â ni fel Cymry Cymraeg wrth agor y llifddorau i eraill.

Digon yw nodi enwau y cyfieithwyr sydd yn dal i drosi fy ngwaith yn achlysurol: Gillian Clarke, Elin ap Hywel, Robert Minhinnick, a Damian Walford Davies. Credaf mai mewn llyfr arall y dylwn nodi dirgeleddau a chymhlethdodau cyfieithu, a chydnabod haelfrydigrwydd y cyfryw rai a ystyriaf yn gyfeillion ac yn gyfieithwyr imi. Ond rhaid nodi i'r teulu o gyfieithwyr ymledu dros y byd yn ystod y blynyddoedd diwethaf. Dyna ichi Rati Saxena, o Kerala, a gyfieithodd gyfrol gyfan o'm gwaith i'r Hindi, a chefais fwynhad o weld fel y deuai'r Gymraeg a'r iaith honno weithiau ynghyd gyda geiriau o'r Sansgrit. Yna, Eli Tolaretxipi a gyhoeddodd nid un gyfrol o'm gwaith yn yr iaith Sbaeneg, ond dwy. Y llynedd, cyhoeddodd gyfrol o'm gwaith yn iaith Gwlad y Basg.

Gŵr a gwraig rhyfeddol yw Silvana Siviero ac Andrea Bianchi a ddaeth draw i gyfieithu fy ngwaith i'r Eidaleg, a gwrthod yn llwyr unrhyw drosiadau Saesneg gan fynd at lygad y ffynnon, air am air, ddafn wrth ddafn. Rhoddais gopi iddynt o eiriadur Bodvan i'w helpu ar eu taith i ddistyllu'r cerddi. Mae cyfrolau cyfain eraill: yn Lithwaneg gan Sonata Paliulytė a aeth ati wedi iddi fy nghlywed yn darllen yn Vilnius. Mae cyfrol Gatalaneg wedi ei chwblhau gan Silvia Aymerich, a'r prosiect *Multiple Versions* wedi lledaenu fy ngherdd 'Dysgu Cymraeg i Awen Dylan Thomas' bellach i dair iaith ar hugain. Bron na allaf gadw mewn cysylltiad â'r beirdd sydd wrthi o hyd yn trosi fy ngwaith, ond y mae un sydd yn dysgu mewn coleg yn America yn cyfieithu fy ngwaith i'r Arabeg, ac mewn e-bost dywedodd hyn wrthyf ar ôl iddi anfon ataf hanner dwsin o gerddi wedi eu trosi ganddi:

> My parents are also coming to spend this summer vacation with me here so we will be translating much more! This project has brought us closer together, even within one family and one language, so imagine what poetry does to the world! Your voice is what we need, especially in these difficult times. (3 Mawrth 2014)

Ni allaf feddwl am e-bost sydd wedi gwneud imi lonni yn fwy na hwn. Cerddi Catrin Glyndŵr oedd y sbardun wedi iddi eu clywed yn cael eu darllen gennyf mewn digwyddiad yng Ngholeg Smith, Massachusetts. Iddi hi, nid cerddi am dywysoges o Gymru'r bymthegfed ganrif oeddynt ond cerddi'n mynegi holl drallod ei chenedl a'r terfysgoedd sydd yn bodoli heddiw. Gall trosi felly fod yn fodd i liniaru loes ein dyddiau. O bydded i gyfieithu barddoniaeth barhau!

A dyna ddychwelyd at lygad y ffynnon, fel petai, gan nodi mai un bardd arall nad yw mwyach yn ein plith a roddodd y sbardun imi weld cyfieithu fel ffynhonnell gyfoethog. Nigel Jenkins oedd fy nghyfieithydd cyntaf a hynny am inni ddod yn gyfeillion am resymau gwleidyddol, gwlatgar. Llwyddasom i atal cynllun gan yr Amgueddfa Genedlaethol i gael beirdd o Gymru i recordio cerddi gan fod yr amgueddfa yn croesawu lluniau o Dde Affrica. Fel aelodau o CND, buom yn gyd-olygyddion *Glas-nos*, cyfrol o farddoniaeth gan feirdd di-Gymraeg a Chymraeg eu hiaith er mwyn hyrwyddo achos Cymru ddiniwclear. Yna, buom yn cydweithio ar gynlluniau niferus yn ymwneud â chelf gyhoeddus yn ninas Abertawe yn 1997 ac yn Ysbyty Pen-y-bont ar Ogwr yn fuan wedyn, a rhai misoedd cyn iddo farw, cwblhawyd cerddi ar gyfer cynllun celf gyhoeddus yn Ysbyty Treforys yn 2014. Do, gwelsom 'Gymru'n Un' ac yn unedig fel ein cyfeillgarwch ond yn wahanol i Waldo, credem fod y ddwy iaith yn rhan o'r cyfandod hwnnw. Wrth iddo fy annog i'w gyfieithu i'r Gymraeg o'r Saesneg, dysgais innau am y broses gain honno ac felly y bu'r bartneriaeth berffaith wrth inni drosi gwaith ein gilydd am ddeng mlynedd ar hugain. Buom hefyd yn gyd-gyfarwyddwyr y cwrs Ysgrifennu Creadigol yng Ngholeg y Drindod, Caerfyrddin, ac yna ym Mhrifysgol y Drindod Dewi Sant. Yn rhyfedd iawn, byddai fy ngweledigaeth o farddoniaeth ac o Gymru yn closio fwfwy yn yr wythdegau tuag at feirdd a ysgrifennai yn Saesneg, hwyrach am y gwelwn eu bod yn rhannu gweledigaeth hyfyw heb fyw yng ngorffennol byd y tywysogion!

Wedi ei farwolaeth, daeth ei gymar o hyd i lith a ysgrifennodd amdanaf, ac mae ei dystiolaeth yn cyfiawnhau fy holl ymdrechion i rannu a chyfannu barddoniaeth, boed yn Gymraeg neu mewn cyfieithiad Saesneg:

> When asked, aged 26, why I wanted to learn Welsh, one of the reasons I gave was that I wanted to understand the poetry of Dafydd ap Gwilym in the original language – and maybe – in due course to translate it. I never got around to translating Dafydd ap Gwilym ... but I did eventually find myself facing a comparable challenge – translating the poetry of Menna Elfyn.

Tua diwedd y llith, dywed hyn am fy marddoniaeth ac am yr anhawster o gyfieithu fy ngherddi:

> Heedful though she is of her literary patrimony and well versed in its formal particularities, Menna is an adventurer who could never settle for snuggling down contentedly beneath the bardic tradition's cosy blanket ... An undoubted enticement for the translator (as, one trusts, for the reader) is her wry playfulness which startles and delights with its depth and variety – and which is always at the service of a profoundly engaged and engaging humanity.

Priodol, felly, yw rhoi enghraifft o un o'i gyfieithiadau yn y fan hon ochr yn ochr â'r Gymraeg gan ddangos mor astud ydoedd wrth gyfieithu fy ngwaith. Cerdd yw am fy modryb yn ei henaint yn cael dychmygion llachar am hyn ac arall ar gychwyn dementia:

Fe gred y daw dynion trwy'r drain
heb sôn am drwy'r gwrych. Ym mherfedd nos
y digwydd, yn feunosol wrth iddi godi
i'r landin a'u gweld yn dwgyd ei 'phocer coch'.
Ond 'dyw eu bysedd blewog byth ar dân.

* * *

They come, she believes, through the prickly bushes,
the thorny hedge. In the bowels of night
- nightly they come, she watches from her landing
as they steal away her red-hot pokers,
though her hairy fingers never catch fire.

('Lladron Nos Dychymyg'/ 'Night Thieves',
Perfect Blemish/ Perffaith Nam)

Gallwn draethu'n hirfaith ar wahanol ddulliau'r cyfryw gyfieithwyr, ond mwy dymunol o lawer yw eu cofio fel beirdd oedd yn effro i bosibiliadau cerddi. Dyfynnir yn aml sylw Robert Frost am yr hyn a gollir mewn cyfieithiad, ond sylw Clancy oedd fod yr hyn a gollir wedi ei golli ac nad oes neb yn mynd i chwilio amdano. Gwerth cyfieithu i'r sawl sy'n dod ar ei draws yw darganfod ac archwilio tiroedd ac ieithoedd newydd-anedig. Hwyrach bod fy nghyfieithwyr wedi fy ngorfodi i fod yn fwy beiddgar wrth gyfansoddi gyda phynciau newydd. Weithiau byddwn yn cellwair gyda hwy y byddwn yn ysgrifennu cerdd yn Gymraeg a fyddai yn amhosibl i'w throsi. Ond llwyddodd pob cyfieithydd i lorio'r sylw hwnnw yn eu hamryfal ffyrdd.

Stori arall yw honno am y daith at Bloodaxe wedi imi gyhoeddi *Eucalyptus* gyda Gwasg Gomer. Sylweddolwn yn fuan nad oedd y gyfrol yn cyrraedd mannau heblaw siopau llyfrau Cymraeg ac felly mewn rhwystredigaeth un dydd, anfonais at olygydd Bloodaxe, Neil Astley, gan ofyn iddo'n garedig a ddymunai dderbyn *Eucalyptus*. Atebodd gyda throad y post:

> Dear Menna,
> Many years ago I was sitting in Michael Schmidt's office when he opened a package containing Gillian Clarke's poems ... I was excited on his behalf, if rather jealous that she sent the collection to him and not me (but Carcanet was more advanced than Bloodaxe in those days), but now your letter has given me a similar frisson.

Aeth ymlaen i ddweud y carai gael fy nghyfrol nesaf, gan ofyn a fyddai modd ei derbyn cyn diwedd y flwyddyn. Collais fy anadl. Dim ond dwy neu dair cerdd oedd gennyf a'r rheiny heb eu cyfieithu. Roedd am gael cyfrol gyfan. Ac a allwn roi teitl iddo yn fuan? Dyna sut y daeth *Cell Angel* i fodolaeth, gan roi'r teitl i'r cyhoeddwr cyn ysgrifennu'r

Gyda Wynfford

gerdd hyd yn oed. Ces fy anfon i ffwrdd gan fy nghymar i aros mewn gwesty yn y canolbarth am ddau benwythnos o'r bron a rhywsut, oherwydd yr arswyd o fethu, cyfansoddais dros ugain o gerddi. Does ryfedd felly i Richard Poole sylwi ar y gwahaniaeth rhwng fy ngwaith yn *Eucalyptus* a cherddi *Cell Angel* pan ddywedodd:

> These poems, emerging raw and bubbling from Ceridwen's cauldron, are rich, multi-faceted and fast-moving: they teem with ideas, images, and implications which the poet now has the confidence to leave, for the most part, to the

> reader to tease out. The poetry lives dangerously in that, in the sometimes head-long rush of metaphor, clarity may get sacrificed ... Reading these poems, I'm consistently persuaded that I'm reading a poet in the poetic equivalent of birth – throes revelling in the upthrust, outburst of new powers.

Poenau geni, neu ai ofni poenau marw fel bardd? Cofio teimlo'r rhaeadrau o eiriau a minnau o'r tu ôl iddynt yn wlyb diferu. Bron nad euthum i berlewyg wrth geisio eu creu. Ac meddai Richard Poole i gloi: 'I'll add dense, elliptical, unpredictable, witty, supple, rhythmic, heterogeneous. Here is a poet discovering what she knows in the white heat of the smelting process ... another of my adjectives is audacious.' ('Spiritual Realism', *Planet*, Hydref/Tachwedd 1997).

Rhaid cydnabod fy niolch i Bloodaxe am gredu ynof, ac am ddal i fod yn frwd i'm cadw ar eu rhestr – cyhoeddwyr sydd, erbyn hyn, yn brolio eu bod yn cyhoeddi beirdd ar draws y byd, dros ddau gant ohonom i gyd. Ond yn 2008, i ddathlu bodolaeth y wasg dros ddeng mlynedd ar hugain o gyhoeddi, dewiswyd tri deg bardd ganddynt ar gyfer cyfrol arbennig a gynhwysai ffilmiau byrion o'r beirdd hefyd – *In Person*, a olygwyd gan Neil Astley. Roeddwn wrth fy modd yn cael fy newis, ac wrth fy modd yn ogystal â'r cyhoeddusrwydd a roddwyd iddynt.

Roeddwn hefyd yn falch bod *Murmur* (2012) wedi ennill cydnabyddiaeth y Gymdeithas Llyfrau Barddoniaeth, Poetry Book Society Recommended Translation, wrth i feirniaid ei dewis o blith yr holl gyfrolau mewn cyfieithiad Saesneg a dderbyniwyd yn ystod hydref 2012. Gan mai dim ond un gyfrol a ddewisir yn y categori hwn, roedd yn glod arbennig – a dyna'r tro cyntaf erioed i gyfrol unigol Gymraeg gael y fath ganmoliaeth. Cafwyd yr un clod gan y Gymdeithas Llyfrau Barddoniaeth am *The Bloodaxe Book of Modern Welsh Poetry* a olygwyd gennyf i a'r diweddar Athro John Rowlands yn 2003.

Bellach, mae gweisg amrywiol wedi cyhoeddi fy ngwaith mewn ieithoedd niferus, a minnau heb fedru eu darllen na'u deall. Eto, ymhyfrydaf i'r Gymraeg gyrraedd mannau pellennig gyda phobl eraill, a'u hieithoedd ar gil, yn deall ac yn gwerthfawrogi gweld yr iaith a garaf yn angerddol yn eu cyrraedd trwy ddull arall.

Mewn cyfrol ddiweddar, *Bondo* o wasg Bloodaxe, 2017, mae gennyf gerddi am ieithoedd sydd yn brwydro am eu hanadl, sydd yn thema gynyddol amlwg yn fy ngwaith. Dyma flas o un ohonynt:

Tabasco, Mecsico
dau frawd heb fod yn siarad â'i gilydd
yn bradu iaith eu mamau,
Zoque ar eu tafodau.

Dau frawd a'r ddau olaf,
a llusern yr iaith yn gwelwi,
gaeaf caled rhyngddynt, lle bu haf.

Colli ei gilydd oedd colli eu mamiaith,
colli'r perthyn a'u gwna'n ddynoliaeth,
pob llannerch yn colli ei lluniaeth.

Dau frawd heb fod yn siarad,
eu hiaith yn un ynganiad,
iaith unig – seithug o afrad.

* * *

NUUK, GREENLAND
'Greenland oer fynyddig'
Dyna y canem yn ein capel,
ond mae'r iâ fel afrlladen Offeren
heddiw, a'r anthem gan lwythau
wedi tawelu ar y llethrau,
cŵn llusg wedi eu hepgor.

('Marwnad i Ieithoedd', *Bondo*)

Yn yr un dilyniant sonnir am 'rai estronieithus/dilynwch gariad/ dyna a ddywed y Gair Da.'

Gallai hynny fod yn fantra hefyd i'm cyfieithwyr, sef iddynt ddilyn greddf eu cariad tuag at gyfieithu a hynny er mor estronieithus yr ymddengys ar brydiau. Dyma enghraifft i gloi o ddau gyfieithydd yn ymgodymu â'r un gerdd gan ei throsi gyda'u pwysleisiau gwahanol. A phwy all ddweud pa un sydd yn rhagori ar y llall? Newidiais y teitl yn *Eucalyptus* o 'Gweld y môr gynta' i 'Y cynta' i weld y môr' mewn cyfrol arall. Ond yr un syniad gwaelodol sydd i'r naill gerdd a'r llall. Mewn gweithdai, testun trafodaeth o gymlethdod cyfieithu yw'r ddau gyfieithiad.

Y cynta' i weld y môr

Bod y cynta', i weld y môr,
Dyna'r agosa' y down
At ddarganfod yn llygad-agored

Yr arlais, cyn inni ddidol
Yr aeliau sydd rhwng nef
A daear, gwagle a gweilgi.

Awn yn llawen tua'i chwerthin:
Cyrraedd at ymyl fflowns ei chwedlau,
Tafodau glas yn traethu gwirebau.

Am ennyd, syllwn heb allu deall
Ble mae'r dyfnder, y dwyfol nad yw'n datgan
Ei hun, wrth swatio'n y dirgel.

A gweld o'r newydd, nad yw moroedd
Yn llai mirain, er i longau ddryllio
Ar greigiau, cans yno, bydd y cyffro

Sy'n iasu, yn ein geni'n frau o'r newydd.
Gweld y môr gynta', yw'r cynta'
Y down at ddarganfod gwir ryfeddod.

Mai 2007

Seeing the Sea

To be first to see the sea
Is the closest we may come
To open-eyed discovery.

There she lies, a temple
Helping us draw a line
Between heaven and earth,
Nothing and oceans.

We travel gladly towards her laughter,
Reaching the skirt-hem of her stories,
Where her tongues tell truths.

For a time, we stare, not understanding
Her depths, this divinity who will
Not reveal herself, hugging her secret

And see, anew, that a sea
Is no less beautiful because ships
Founder on rocks, because, look,
In her split-second waves

We grow younger with each frisson;
Seeing the sea
For the first time
Is the closest we may come
To the wonder of eyes opened.

(EAH) (*Perfect Blemish/ Perffaith Nam*)

First sight of the sea

Our first sight of the sea
Is the nearest we ever get
To discovering a marvel.

Like a voice, a temple of the head,
She stands, to divide heaven
And earth, welkin and waters.

We go gladly towards her laughter,
Reach the wide hem of her tales,
Truisms that her tongues proclaim.

Not comprehending the depth of her,
We gaze at a godhead that hides
Herself, that hugs her secret.

We recognise afresh that for all
The ships wrecked on the rocks
Seas are no less lovely –

Because it's in this brittleness
That waves are tempered,
Thrill us, make us pale –

That first sight of the sea –
The nearest we ever come
To discovering a marvel.

(TC) (*Eucalyptus*)

Pa un sy'n taro deuddeg gennych chi, y darllenydd?

7

BRITHGOFION O WYLIAU LLENYDDOL A PHRESWYLFEYDD

Darlleniad yn Corc, 1984

Ar y daith draw ar fferi o Abergwaun agorwyd drws fy nghaban gan un yn gorchymyn i mi fynd i'r bync uchaf gan ei bod yn dychwelyd i'w mamwlad i farw. Adroddodd yn y tywyllwch hanes ei bywyd a dyna lle roeddwn yn ofni y byddai'n darfod yn ystod y nos. Chysgais i fawr y noson honno. Ond deffrôdd hithau yn llawen gan ddweud ei bod am fynd i weld ei gŵr. 'Eich gŵr?' holais. 'Ie, doedden ni ddim yn medru fforddio lle i ddau.' Gallwn fod wedi rhoi fy lle iddo ond yn lle hynny, cefais innau gerdd o'r enw 'Joanie' a gyhoeddwyd yn wreiddiol yn y gyfrol *Eucalyptus*:

> Hirfordaith nos,
> a'r wraig ddioddefus,
> yn cwffio am anadl odanaf:
> *'Hope I don't die in the night'*;
> ei chri baderol rhyngof.
>
> ('Joanie', *Merch Perygl*)

Pan gyrhaeddais Corc ni allwn feddwl am ddim ond am lunio'r gerdd ac wrth ddweud ei hanes wrth Wyddelod a drefnodd y daith, deuthum i ddeall nad oedd yn ddigwyddiad anghyffredin iddynt.

Flwyddyn neu ddwy yn ddiweddarach, mewn cynhadledd chweched dosbarth yn ne Cymru, daeth llanc ataf gan ddweud: 'Joanie was my aunt.' Rhyfedd yw ffyrdd bywyd.

Gŵyl Lenyddol Cúirt, Galway, 1985

Dyma un o'r digwyddiadau cyntaf imi eu mynychu fel bardd. Does gen i ddim cyfieithiadau wrth law, dim ond y rhai a luniais yn frysiog cyn gadael maes awyr Birmingham. Rwy'n cyfarfod â Fiona Pitt-Kethley, bardd a ddaeth yn nodedig am ysgrifennu cerddi erotig, ac mae'n tynnu llun coeden deuluol imi ar napcyn sy'n profi bod ei hachau yn ymestyn yn ôl at William Williams Pantycelyn. Yna, rwy'n darllen gyda'r diweddar Michael Davitt, un a fywiogodd farddoniaeth Wyddeleg, ac mae'r gynulleidfa yn dotio at ei berfformiad.

Ond wedi'r ŵyl mae'r trefnwyr yn gofyn imi warchod y cawr o fardd, John Heath-Stubbs, sydd yn ddall, a'i dywys yn ddiogel ar yr un ehediad â mi i faes awyr Birmingham. Awyren fechan yw hi, ac mae'r tyrfedd yn creu ofn ond nid iddo ef. Rwy'n cofio Suez, meddai, a dyna gau pen y mwdwl ar ein sgwrs. Wrth ffarwelio ag ef, gwnaf y camgymeriad dybryd o estyn cusan iddo, dim ond iddo yntau geisio ymateb yn yr un dull. Ond methodd fy moch a ches glamp o ergyd ar fy nhalcen. Dychwelais adre'n gorfod esbonio'r clais amheus. Bryd hynny, addewais i mi fy hun y byddwn yn llunio cerdd am y digwyddiad ac yn galw fy nghyfrol yn *Cusan Dyn Dall*, a dyna enw'r casgliad a gyhoeddais yn 2001. Cefais ddychwelyd i'r ŵyl unwaith eto ddegawd wedi hynny ond heb unrhyw dro trwstan y tro hwnnw.

Puebla, Mecsico, 1990

Pan euthum gyntaf i Puebla gan wylio'r plant ar y strydoedd o bellter, daeth y gerdd hon fel rhodd un bore wrth i hen wraig ddod i eistedd yn fy ymyl gyda'i phwdl bach:

Cwrdd ag un o blant y strydoedd yn Puebla

Plant ar y palmant,
yn cardota,
o'u blaenau bagiau llawn siopwyr
ond eu dwylo'n wag:
dim nwydd, na charedigrwydd.

Caffi awyr agored gerllaw,
gwylio'r plant own i,
eu gwylio heb gael fy ngweled.

A daeth gwraig i eistedd wrth fy mwrdd,
gofyn am goffi,
i'r sawl oedd yno'n gweini;
tynnodd bwdl o'i basged,
rhoi piner gwddf amdano,
a'i fwydo â llwy arian,
cyn sychu ei wefus
yn ofalus.

Iddi hi, doedd e ddim yn gi –
roedd e'n blentyn bach;
ar y stryd roedd plantos bach
yn cael bywyd ci.

Rhai strae ar y stryd –
rhyfedd o fyd.

('Bywyd Ci', *Clywch Ni'n Rhuo Nawr!*, 2017)

Y tu allan i Texcoco, Mecsico, 1990

Ar y daith tua'r mynyddoedd, daw'r bws i stop. Gwelwn gerrig maint cerrig yr orsedd wedi eu gosod ar hyd yr heol. Daw banditas i mewn i'r bws gan ddechrau archwilio bagiau. Caiff fy mag innau lonydd, drwy lwc a bendith. Dilyn ymatebion y teithwyr eraill sydd orau wrth estyn yn hael sawl peso a'u rhoi yn eu tuniau casglu arian. Codir llaw arnom yn ddiolchgar cyn gorchymyn i'r gyrrwr fynd yn ei flaen, wedi iddyn nhw symud y cerrig mawrion. Ymhen awr neu ddwy, mae'r bws yn aros wrth ymyl tŷ, a gwelwn y gyrrwr yn eistedd o flaen y ffenest yn bwyta ei ginio. Heb air o esboniad pryd y bydd y siwrne yn ailgychwyn, eisteddwn yn gegrwth nes ei weld yn diolch am ei ymborth ac awn ymlaen ar ein taith ddeuddeg awr nes cyrraedd Zihuatanejo.

Gŵyl Ryngwladol Rotterdam, 1990

Sefyll wrth ymyl lôn goed mewn ardal yn Rotterdam gan wrando ar y bardd Gennadiy Aygi, un o feirdd enwocaf Rwsia, yn siarad. Derwydd go iawn ydoedd! Un a oedd wedi ei enwebu ar gyfer Gwobr Lenyddiaeth Nobel nifer o weithiau. Roedd ei waith yn deillio o baganiaeth wledig. Cefais fod yn un o ddwsin o feirdd oedd yn cyfieithu ei waith a hynny yn ei gwmni, ac yntau'n smygu yn ddi-baid nes mygu'r stafell. Yr oedd yntau, fel y ddelwedd yn un o linellau ei gerddi, fel blodyn anhysbys – 'gyda goleuni hardd/ fel iaith yn llefaru/ a doethineb yn llewyrchu'.

Puebla, Mecsico, 1993

Dychwelyd llanc i'w rieni o'r ganolfan Juconi yw ein nod un bore oer o Ragfyr. Dymuna ddychwelyd at ei deulu ond dim ond ar ôl i weithwyr plant y ganolfan gynnal sesiynau trafod gyda'r rhieni y cytunir i'w ddychwelyd i'w gartref. Cymer oriau inni gyrraedd ei gartref sydd mewn cilfach yn y mynyddoedd tu draw i Santa Cruz. Wedi inni gyrraedd man arbennig, dim ond llwybr troed sydd yn bosib ei gerdded. Cyrhaeddwn y fan ac mae'r teulu'n llawenhau o gael eu mab adref. Gadawant y darn o dir lle roeddynt yn codi corn melys a mynnu ein bod yn aros am ginio. Mewn padell ffrio enfawr, teflir dyrneidiau o sioncynod y gwair i'r olew berwedig. Creision o fath gwahanol efallai? Dychwelwn i'r ddinas yn gobeithio y bydd y teulu o hyn allan yn un dedwydd.

Valsequillo, Puebla, Mecsico, 1993

Cael caban ger y llyn i ysgrifennu a mwynhau'r llonyddwch. Ond pan ddaw'r bore, teimlo'r gwely yn symud ac yn dirgrynu. Y diwrnod cynt roedd llwch o losgfynydd Popocatépetl wedi syrthio dros y ddinas a'r si ar y stryd y gallai rhyw drychineb ddigwydd. Neidio allan o'm gwely plyg a rhuthro allan i'r awyr agored. Cael rhyddhad! Gweld mai asyn yn rhwbio ei asennau yn erbyn y caban ydoedd ac yn ysgwyd fy llety.

Gŵyl Farddoniaeth Barcelona, 1996

Y bardd R. S. Thomas yn fy nghyfarch yn y bore gan ddweud, 'Welwch chi'r gwrych?' Edrych yn syn arno. 'Wedi anghofio pethau eillio,' meddai wedyn. Wedi brecwasta, cynnig mynd gydag ef i chwilio am siop yn gwerthu offer eillio. Cerdded ar hyd y Ramblas heb weld yr offer angenrheidiol a llawer o'r siopau heb agor. Yn y diwedd, gwelodd R. S. gleddyf Samurai mewn siop a gan stopio yno, meddai, 'Dyma beth sydd ei eisiau arnaf!' Oedd, roedd ganddo hiwmor cynnil iawn. Dychwelyd yn waglaw nes cyfadde wrth y trefnwyr ei wewyr ac o fewn munudau, cafwyd nid yn unig offer eillio ond eli hefyd! Lluniais y gerdd 'Y Bardd Diflewyn' wedi iddo farw gan gofio'r gwmnïaeth glòs fu rhyngom y bore hwnnw:

> Allan â ni i'r ddinas fawr, rhyw ddau alltud
> ar driwant, cerdded y palmant a'r Sul yn ddi-salm.
>
> Yr hirdrwch yn ei boeni'n fawr. Ac eto?
> 'Onid gweddus,' meddwn, 'yw gwrych a dardd
>
> ar ên un sy'n codi gwrychyn?' A chil-
> wenu a wnest wrth i bob man droi'n ddi-lafn.
>
> A dychwelasom yn waglaw. Ddoe ddiwethaf
> fe gofiais yr hyn yr ofnais ei ddweud yn blaen.

O, fel y gallet fod wedi dal yn dy ysgrifbin.
Onid min oedd iddo, a rasel, i wella'r graen

gan rathu'n glòs pob wyneb; llyfnu bochau'n glir
o bob gwrychiau? Onid plannu llafn

a chael y genedl hon yn gymen wnest? O drwch blewyn.
Crafu'n agos i'r wythïen las nes iasu'n gwedd.

A chlywed anadl drom arnom – cyn pereiddio grudd:
dau beth sy'n groes i'r graen yw eillio ac eli

fel y ddeuddyn ynot. Ar wrych wrth chwilio'n sylwedd
ond â llaw lonydd, sad at sofl enaid, hyd y diwedd.

('Y Bardd Diflewyn,' *Perfect Blemish/ Perffaith Nam*)

Lipica, 1996

Darlleniad yng Ngŵyl Vilenica, Slofenia – Ogofâu Karst yn Lipica. Yr ogof a'r adleisiau yn rhyfeddol wrth imi ddarllen cerdd fel 'Cell Angel'. Ymysg y cannoedd sy'n gwrando, clywed fy mamiaith yn atseinio. Y Slofeniaid yn mynnu bod y Cymry yn efeilliaid iddynt o ran maint eu gwlad a'u hetifeddiaeth. Ond roedd tensiynau o hyd rhwng beirdd o Bosnia, Croatia a Serbia, er mai cwerylon llafar yn unig oeddynt, diolch i'r drefn. O leiaf, mae barddoniaeth yn medru ennyn dadlau ffyrnig uwchben diod neu ddau.

Prifysgol Wake Forest, Gogledd Carolina, 1997

Wedi'r darlleniad yno, arwyddo *Cell Angel* i rai o'r gynulleidfa. 'Will you put "To Maya" on it please and sign, of course?' Cydsynio wrth gwrs. 'It's her birthday at the end of the week and she'll be thrilled to have this.' 'Just Maya?' meddwn. 'Yes, that's fine, she's been to Wales too – a place called Hay.' Gwawriodd arnaf cyn iddi ddweud 'Maya Angelou'. Llwyddais i ddweud imi gwrdd â hi yno bum mlynedd cyn hynny, ysgwyd llaw â hi hyd yn oed. Ni ddywedais fy mod i fod i gyfweld â hi ond iddi ddiflannu yn ôl i newid i Llangoed Hall, ac yn lle hynny cefais gyfweliad gyda Toni Morrison. Teimlo'n llawen y noson honno wrth feddwl am gyfrol Gymraeg/Saesneg yn cael ei phrynu yn anrheg pen-blwydd i Maya! Wedi ei lofnodi oddi wrth Menna gyda 'dymuniadau gorau' ar y ddalen.

Prifysgol Coimbra, Portiwgal, 1999

Darllen yn y *catacombs* ym Mhrifysgol Coimbra, Portiwgal, un o brifysgolion hynaf Ewrop. Darlleniad i'r meirw a'r sgerbydau'n syllu arnaf yn y Museu Nacional de Machado de Castro. Ond roeddwn yn falch o'r gynulleidfa fyw a neb llai na José Saramago, un o enillwyr Gwobr Lenyddiaeth Nobel, yn eu plith!

Gwesty'r Deiamwnd, Manila, Philipinau, 2000

Newydd archebu coctel margarita ar ôl cyrraedd rai oriau ynghynt a chael llonyddwch mewn bar ar yr ugeinfed llawr lle roedd criw bychan yn yfed yn dawel, a cherddoriaeth glasurol yn y cefndir. Gyda llyfr yn fy llaw, ceisiais roi trefn ar ddarlleniad y bore canlynol pan, yn sydyn, diffoddodd y golau yn llwyr.

'*Coup*,' meddai un. 'Roeddwn wedi ofni hyn,' meddai un arall. A dyna lle roeddwn yn eistedd yn syn, heb wybod beth i'w wneud nesa'. 'Bydd y lladron ar waith,' meddai dyn tu ôl i'r bar wrth un arall. Gwingais. Rhaid ei fod, drwy'r tywyllwch, wedi gweld yr arswyd ar fy wyneb achos dywedodd wrthyf am aros ac y byddai'n ceisio cael goleuni ar y mater. Ymhen rhyw ugain munud cafwyd goleuni, a mwy na hynny o gysur i bererin fel fi. Ond y bore canlynol, clywed i weithiwr gael ei ddiswyddo am droi trydan y ddinas i gyd i ffwrdd mewn camgymeriad.

Darlleniad yn Adeilad y Cyngor Prydeinig,
Colombo, Sri Lanca, 2000

Corwynt yn codi a'r palmwydd wrth fy ymyl yn siglo'n ffyrnig. Adar estronol yn cyd-ddarllen gyda mi o'r coed cyfagos. Y noson honno, cael fy stopio mewn ricso gan un o filwyr y wladwriaeth gyda dryll hir wedi ei anelu at fy wyneb. Syllu arno a sylweddoli mai llanc ifanc ydoedd. Wedi dangos fy mhasbort cefais fynd ar fy nhaith. Rwy'n ymwybodol na fu eraill mor ffodus. Rhwng y glaslanc hwn a milwyr bychain eraill, yn fechgyn a genethod o genedl y Tamiliaid, sylweddoli mor erchyll yw byd y rhai hynny. Dyna'r symbyliad i feddwl am gymeriad merch ifanc o filwr yn cael ei gorfodi i ymladd. Esgorwyd ar *Rana Rebel*, nofel i bobl ifanc a gyhoeddwyd gan Gomer yn 2003, yn dilyn y profiad hwnnw.

Profiad mwy dwys o lawer oedd cael fy ngwahodd i lansiad casgliad o farddoniaeth gan fardd o'r enw Richard de Zoysa. Teimlais elfen o dyndra yr eiliad y cerddais i mewn i'r neuadd. Holais un o swyddogion y Cyngor Prydeinig, 'Ble mae'r bardd?' 'Fydd e ddim yma,' atebodd, cyn dweud iddo gael ei lofruddio sawl blwyddyn yn ôl gan ddynion anhysbys. Meddai ei gyfaill o'r llwyfan: 'We should be glad that we know what happened to Richard and that his body was found in the sea with a bullet in his head. He's not gone the way of the disappeared in our country.'

Am gyflwyniad anarferol. Adeg oedd hi pan oedd y rhyfel cartref rhwng y Tamiliaid yn y gogledd a lluoedd y llywodraeth yn y de yn ei anterth. Daeth cyfaill ar ôl cyfaill i dystio i wroldeb y bardd, y cyfarwyddwr drama a'r darlledwr teledu a fu'n beirniadu'r naill ochr a'r llall am barhau i ryfela yn lle trafod cymod. Cymaint felly, fel i'r naill garfan a'r llall feio'i gilydd am ei farwolaeth.

'Maen nhw'n ddewr yn cyflwyno tystiolaeth,' meddai gwraig yn fy ymyl, 'o gofio faint o ysbiwyr y llywodraeth sydd yn ein plith – pwy a ŵyr pwy fydd nesa'.'

Prynais gopi o'i lyfr a rhyfeddu at broffwydoliaeth rhai o'i gerddi'n rhagweld ei dranc: 'I am the storm's eye/ceaselessly turning/around me the burning the death the destruction/the clichés that govern the world of the words/of the prophets and preachers, and maybe the saviour/ are lost to my peering/ blind eye in the dark.'

Wedi'r darlleniadau a'r gweithdai, cael un diwrnod i ymlacio cyn hedfan adre. Llogi tacsi; y gyrrwr yn mynnu mynd â mi i weld gemau yn erbyn fy ewyllys, ond rhaid oedd cydsynio. Cyrraedd, a dau neu dri dyn a'r gyrrwr tacsi yn ceisio fy nghael i brynu gemau, ond yr unig em yn fy meddwl wedi lansiad llyfr Richard de Zoysa oedd y garreg gyfoethog a gollwyd oherwydd iddo leisio ei farn yn erbyn y rhyfela – er i'r gwerthwyr ddweud, 'Cewch saffir am getyn pris/ y tir mawr.' Hwythau'n ceisio fy nghael i brynu carreg leuad gan ddweud, 'Ei lliw a enir yn ôl naws y golau.'

Dyma ddiweddglo cerdd am de Zoysa:

> Nosweithiau wedyn, wrth wylio'r lloer –
> mae gemau Colombo yn dal
> i roi pryfôc o flaen fy llygaid.
> Gleiniau sy'n groesau ar yddfau'r goludog
> a chofiaf eu dal yn dynn yn fy nghledrau:
> yn gannwyll llygad, un funud,
> yna'n waed ar fy nwylo.
> Ac yna, anadl yn dadlau â mi ydoedd
> am lanw a thrai. Am fwgwd y lleuad
> a'i hamdo drosti.
> Ac onid y saffir geinaf
> yw tynfaen y gwirionedd?
>
> Heno, mae'r lleuad wyllt
> yn codi'n llawn
> yn ei phopty cynnes
> gan ddadmer glöynnod iâ'r
> nos.

('Saffir', *Perfect Blemish/ Perffaith Nam*)

Santiago de Compostela, 2000

Darllen gyda Wolé Soyinka a Derek Walcott. Y ddau fardd Nobel oedd yr olaf bob tro i ddarllen yn y digwyddiadau a drefnwyd. Cofio mynd i eistedd wedi imi wneud fy narlleniad innau a dyma Derek yn codi i ddarllen. Am ennyd, roedd yn araf a thawel ac meddwn wrth wraig yn fy ymyl, 'Trueni, maen nhw'n dweud ei fod e'n sâl.' 'Ydy,' meddai, ond mae e'n well nawr – a gyda llaw, fi yw ei wraig!' Dyna ddysgu'r wers o beidio â gwneud sylw am unrhyw fardd arall, rhag ofn!

Skopje, Macedonia, 2001

Synhwyro'r tensiynau rhwng yr Albaniaid a'r Macedoniaid, y naill wedi cael lloches gan y lleill pan oedd Rhyfel y Balcan yn ei anterth ond y Macedoniaid erbyn heddiw yn edliw nad oedd yr Albaniaid yn fodlon dysgu mamiaith y wlad. Gweithdai rhyfedd a gynhaliwyd felly gyda'r naill garfan a'r llall yn ysgrifennu yn ddychanol (neu waeth) am ei gilydd. Weithiau, teimlwn yn fwy o gennad o'r Cenhedloedd Unedig nag o fardd. Llwyddo, cyn diwedd y gweithdy, i gael yr Albaniaid i ddysgu diarhebion Albaneg i'r Macedoniaid ac iddynt hwythau roi eu diarhebion hwy mewn Macedoneg. Trwy ddulliau creadigol, osgoi'r tyndra a sylw'r darlithydd yn Skopje cyn imi ymgymryd â'r gweithdy oedd – 'What they really want to do is kill each other'. Am rybudd! Ac wedi'r sesiwn: 'How on earth did you manage to get them to laugh?' Wn i ddim, ond mae diarhebion yn bethau chwerthinllyd ar y gorau.

Bwcarest, Rwmania, 2001

Taith ddarllen i wahanol fannau yn Rwmania fel Bwcarest, Targu Mures a Brasov. Cyrraedd Bwcarest yn gynnar a mynd allan am dro. Cael fy rhybuddio cyn mynd, am gŵn strae, ond dyma gi anferth yn fy nilyn gan fegera am fy sylw. Yn y diwedd, camais i mewn i oedfa Roegaidd Uniongred wrth weld drws agored. Siawns y cawn wared felly ar y ci. Ond wrth imi ddod allan, dyma weld hen ŵr a gwraig yn ei gymell gyda'r cŵn eraill i ddiflannu gan fod yr heddlu wedi cyrraedd ac yn saethu at rai ohonynt. Crwydrent y strydoedd am nad oedd llety ganddynt wedi i'w perchnogion orfod gadael eu fflatiau ar frys er mwyn i Ceauşescu gael adeiladu ei balas yng nghanol y ddinas. Yn y gerdd 'Sul gyda'r Cŵn yn Bwcarest', ceisiais gyfleu'r ofn a'r tosturi tuag atynt:

> Camu allan wedyn. Bellach, un o deulu'r cŵn ydoedd,
> y rheiny'n cyfarth yn unfryd ar yr heddlu llym.
> Ac er i gwpwl oedrannus geisio eu cymell
>
> i ffoi, rhyw herian a wnaethant er ffrwst y ffrewyll main.
> Mynd yr ochr arall heibio a wnes a gweld
> am ennyd, ef, lygad am lygad â mi.
>
> Ond ei dylwyth strae oedd ei dynfa ddi-droi-nôl yn awr.
> Yna bwledi o blwm tawel a dreiddiodd o'r stryd gefn.
> Cerddais ymlaen heb gilwg yn ôl, dim ond teimlo
>
> pwll tro y galon a rhincian dannedd a chryndod llaw,
> yr hyn a ddaw o fod yn dyst eilradd i drugaredd.
> Onid llwyr ei gwt yw'n hymateb yn wastadol?
>
> Hyd yn oed yn Bwcarest, gornest yw'r gair
> sydd rhwng gwas a meistr, morwyn a meistres,
> ac ambell ru oddi mewn yn osio rhwng greddf a gras.

('Sul gyda'r Cŵn yn Bwcarest', *Murmur*)

Braşov, Rwmania, 2002

Rwy'n awyddus i dynnu lluniau ac yn gweld camera yn cael ei arddangos mewn ffenest siop. Af i mewn i'w brynu gan mai un rhad y medr rhywun ei daflu i ffwrdd wedyn yw. Ond daw'r siopwr â'r bocs imi gan ddweud mai gwerthu'r bocs gwag y mae. Ond beth am y camera? Mae'n edrych yn syn arnaf. Sylweddolaf yn sydyn mor llwm yw'r lle a chyn lleied o nwyddau sydd ar werth. Af allan gyda lliain bwrdd yn fy llaw, er mai dyna'r peth olaf yr oeddwn am ei gael. Mae Cyfarwyddwr y Cyngor Prydeinig yn fy nwrdio am brynu rhywbeth mor dila am grocbris, ond rwy'n teimlo'n falch imi helpu hen wraig, yn ceisio cael dau ben *lliain* ynghyd.

Lisbon, Portiwgal, 2003

Yn ystod 2003–2008 ymwelais â nifer o fannau ym Mhortiwgal: Coimbra, Prifysgol Minho, ac Oporto ond cofiaf am ddigwyddiad hynod yn Lisbon pan gafwyd ddarlleniadau o'm gwaith yn Gymraeg a Phortiwgeeg gyda thrafodaeth frwd o'r gynulleidfa ynghylch y broses o gyfieithu. Adeg Gŵyl Ddewi oedd hi, a'r llysgenhadaeth Brydeinig wedi trefnu cinio arbennig ar fy nghyfer yno.

Darlleniad gyda Fatima Días yn Casa Fernando Pessoa, Lisboa (Pessoa oedd un o brif feirdd Portiwgal)

Farrera, y Pyreneau, Catalonia, 2003

Yno i lunio nofel i blant yr oeddwn ar y cyd ag awduron o Wlad Tsiec, y Ffindir, Catalonia ac Iwerddon. Penderfynu ar nofel ffantasi a gyhoeddwyd maes o law mewn pum iaith, ac yn Gymraeg *Y Pussaka Hud* gan Wasg y Bwthyn.

Ond roedd realiti y cyfnod ymhell o fod yn destun ffantasi. Dyna lle roeddem ar ben un o'r mynyddoedd yno yn cael ein rhybuddio i gau'n cabanau gyda'r nos oherwydd tueddiad eirth i ymweld â'r trigolion. Ar un wedd, cael amser bendigedig yn cerdded yn yr awyr iach gan gasglu bwyd am ddim o'r cloddiau a rhyfeddu at yr eangderau a phigau'r mynyddoedd yn wyn. Cael llonyddwch llwyr hefyd i ysgrifennu a myfyrio mewn cwmwd bychan. Ond wedyn, gyda'r nos, sobri wrth droi'r radio ymlaen a chlywed y ffrwydradau cyntaf yn digwydd yn Irac gyda lluoedd America a Phrydain yn ymosod. Pawb yn fud. Pawb yn teimlo'n isel a thrist. A chysgais innau fawr y noson honno wrth feddwl fod yna waeth pethau nag eirth ar y mynyddoedd.

Darlleniadau yn Warsaw, 2003

Adeg y Pasg yw hi ac mae pawb yn cario blodau i'r eglwys. Rwyf yng nghwmni bardd a chyfaill o Iwerddon, Nuala Ní Dhomhnaill, a phenderfynwn ddilyn y dorf i'r eglwys. Yno yn cael eu derbyn i'r Eglwys mae genethod ifanc, oll wedi eu gwisgo mewn dillad gwyn. Anodd yw peidio â theimlo dwyster ac eto lawenydd y sefyllfa o'u gweld yn derbyn eu Cymun cyntaf. Gyda holl drybini'r byd, dyma un darlun hardd o ddiniweidrwydd a gobaith am y dyfodol. I goroni'r bore, rhed Nuala oddi wrthyf, ac at ddynes sy'n gwerthu lili'r dyffrynnoedd a dychwelyd gyda thusw i mi:

> Mae ambell fore mor ddiwair
> Fel yr ofnaf ei halogi â thwrw gair.

Fel y bore pan groesaist at stryd gerllaw,
Dychwelyd yn heini, dau dusw mewn llaw.

Lili'r maes a'r rheiny yn gryndod i gyd
Yn dallu'r cerbydau â'u gloywder mud.

Eiliad yn gynt, plant gyda'u menig gwyn –
Yn eu Cymun cynta'. Gwyn eu byd y rhai hyn.

('Bore gwyn yr Eglwys Gadeiriol yn Warsaw',
Perfect Blemish/ Perffaith Nam)

Darlleniad yng Ngŵyl Farddoniaeth yr Hydref, Druskininkai, Lithwania, 2004

Noson hwyr o ddarlleniadau, a rhwng pob cerdd canai ffôn rhywun neu'i gilydd. Neb wedi dysgu'r wers o'i ddiffodd er parch i'r darllenwyr. O ganlyniad, pob bardd yn gorfod cystadlu am wrandawiad ar draws aelod o'r gynulleidfa yn dweud y byddai adre yn fuan. Yn amlwg, nid oedd yn ddigon buan i rai beirdd! Cyrraedd y 'Sanatoriwm', lle roeddwn yn aros, yn hwyr y nos ac o'r herwydd, teimlo ar goll y bore wedyn yn y lle anferth. Methu'n lân â ffeindio'r digwyddiadau. Nyrs yn gafael ynof gan geisio fy arwain i weld meddyg. Deall digon, yn sydyn, i wyobd fy mod i gyda chleifion yno a pho fwyaf y protestiwn, mwyaf yn y byd y credai imi geisio dianc. Gwaeth na hynny, bod eisiau doctor arnaf ar unwaith! Ni siaradai Saesneg ac ni siaradwn innau Lithwaneg. Yn ffodus, gwelais fardd arall yn y pellter a rhedeg tuag ato am achubiaeth.

Dyma ran o gerdd am y daith i lawr i Druskininkai wrth i ni basio coedwigoedd lle y gallwn ddychmygu ambell gyflafan yn eu hanes, a lluniais hon wrth weld i'r llenni yn y bar gael eu haddurno gyda dail oedd wedi syrthio o'r coed hydrefol':

''Sdim ofn rhagor,' meddai brodor
o'r wlad, a 'sdim rhaid cau llenni
mwyach na gwylio gwib ein tafodau –
na chuddio llyfrau dan bapur llwyd.
Ydym, rydym yn rhydd i gellwair
am y llenni esgus, a'u ffugiannu.'

Ymuna ei gyfaill yn y sgwrs
sy'n llawn gwin rhwng sych a melys,
'Dim ond symud a wna'r arswyd,' meddai.
'Mae e'n rhywle arall erbyn hyn.'

Ac wrth dynnu llen dros wydr,
rwy'n dal yno, fy wyneb yn ffenest y bws
a'r goedwig oer fel llen a lurguniwyd.

Ac mae'r geiriau'n picellu,
wrth im glywed grymoedd
yn bygwth eu hafflau ar eraill,
a'r wig yna, yn dal i saethu brigau
dan chwerthin, chwerthin,
am holl ddiniweidrwydd
rhyddid a perthyn.

('Hydref yn Druskininkai', *Perfect Blemish/ Perffaith Nam*)

Darlleniad Harare: Oriel yn Zimbabwe, 2004

Roeddwn i heb gael fy rhybuddio mai darlleniad awyr agored ydoedd a hynny i ryw dri chant o bobl. Trwy'r darlleniad, teimlo pryfetach yn gwledda ar fy nghoesau a'm breichiau noeth. Darllen y gerdd 'Moscitos', yn y gobaith y byddent yn tosturio wrthyf. Cael cwestiwn annisgwyl wedi'r darlleniad: 'Sut y mae modd ichi wneud gyrfa ariannol o fod yn fardd?'. Anghofio'n llwyr bod gwaharddiad ar newyddiadurwyr yn y wlad bryd hynny, a bod y rhai sy'n cael eu dal yn cael eu carcharu. Ateb yn fy nghyfer fy mod yn ysgrifennu i'r papur cenedlaethol yng Nghymru, y *Western Mail*. Y bore wedyn, anfon fy ngholofn i gyfeiriad e-bost fy mab gyda'r cais iddo ei throsglwyddo i'r golygydd. Ofni cnoc ar y drws gyda'r nos ond ni ddaeth.

Cwestiwn llanc mewn gweithdy y bore wedyn: 'How can we write the truth without getting beaten up?' Cwestiwn dwys nad oes ateb iddo – nid o enau bardd gwyn o wlad lle nad yw geiriau yn cynhyrfu unrhyw awdurdodau.

O.N. Zimbabwe

Wedi'r darlleniad, cael nodyn i ddweud y dylwn ffonio Dr S a'i fod am imi fynd i'w gartref i gael swper. Ffoniais i ddweud bod gennyf wddf tost ar ôl cael rhybudd gan gyfaill na ddylwn fynd ato ar unrhyw gyfrif. Nid oedd trefnwyr y darlleniad yn hapus am hyn gan ei fod yn gyfaill i Robert Mugabe a bu'n weinidog yn ei lywodraeth. Ofnent ganlyniadau fy ngwrthodiad a'i effaith arnynt. 'Rhaid iti fod yn ofalus,' meddai'r cyfaill eto. 'Paid â mynd.' 'Ond fe yw un o dadau'r genedl' oedd cri fy ngwesteiwyr. Mynnent na allwn beidio â derbyn y gwahoddiad. Ffugiais fy mod yn fwy sâl nag yr oeddwn, gan gadw at fy ngwely y diwrnod wedyn a gobeithio am faddeuant gan drefnwyr fy nhaith yno. Ond wrth i mi ymuno â'r ciw ym maes awyr Harare i fynd adre, clywais Dr S yn galw fy enw yn uchel ac yn holi hwn ac arall ble roeddwn. Roedd wedi canfod amser fy nychweliad o'r wlad. Nid oedd dim i'w wneud felly ond mynd ato, yn ymddiheuriol. Dyma ddod o hyd i'r rheswm dros ei daerineb i gwrdd â mi. Gofyn a wnaeth imi ysgrifennu cofiant iddo, gan fod ei wreiddiau yng Nghymru. Gwenais. A chanu'n iach iddo. Rhoddodd gerdyn imi gysylltu ag ef. Ond wedi cyrraedd adref, aeth y cerdyn yn syth i'r bin sbwriel.

Dyffryn Lledr, Dolwyddelan, 2004

Cael fy nghomisiynu i ysgrifennu am y dyffryn hwn gan noddwr hael o Lundain a threulio wythnos yn ei fwthyn gyda Paul Henry ac Owen Sheers. Ein nod oedd creu cerddi am y lle yn ogystal â gwneud darlleniad yn yr ysgol, a gweithdy i blant yno.

Ond araf iawn y dôi'r cerddi a'r ysbrydoliaeth i'w llunio, er crwydro'r ardal a mynd i'r ysgol leol, oedi y tu allan i siop y pentre, ac ymweld â'r castell. Bob bore, yr un fyddai'r holi o gwmpas y bwrdd brecwast. Stafell wely fechan oedd gennyf, a gyferbyn â'm gwely roedd llun enfawr o Mussolini. Gyda llaw, dylwn nodi nad Ffasgydd oedd y noddwr o bell ffordd! Ond un noson, methais â chael wyneb na bywyd Mussolini o'm meddwl:

Heno yn Aber, mae olwyn ddŵr yn troi
A'r gwynt yn rhathu a'r nos yn amdoi.
Ac yma, gorweddaf gan swatio'n fy ngwely,
Yn rhwyfus gysgu gyda Mussolini.

Chwedlau sy'n odli'n y gwynt ar Foel Siabod
Yn gysgod dros fwthyn, yn sôn am gydnabod
Yr afanc a lusgwyd gan ychen dros Eryri
Nes colli un llygad i lyn a'i las-rewi.

Pigau hanes sy'n llym yn ffrâm y ffenest,
Am oesau llawn gormes, ymhell o loddest
'Run llys nac arglwydd, dim ond gwae ar glogwyni,
A minnau'n cwtsho gyda Mussolini.

Oes yr Iâ, megis ddoe yw, ar grib a moelni,
Creithiau dan draed o'r chwareli a'u cyni,
Ond Afanc arall sydd yma'n tra-arglwyddiaethu
Fy mur, wrth im rannu llen gyda Mussolini ...

Ar ochr ei wyneb mae crachboer y pigment
A'r plwm sy'n y paent, medd rhai, ac nid henaint,
Nid oes hoen ar hanes, na difa gwrthuni,
Wrth im droi fy nghefn ar Mussolini.

A'r darlun ar bared a rydd im, dan glo,
Esmwythyd rhyddid heb lun i'm caethiwo,
A chaf fy hun yn chwerthin yn iach yn fy ngwely,
Wrth orffwys yn eofn – yng ngŵydd Mussolini.

('Cysgu gyda Mussolini', *Perffaith Nam*)

Rio Grande, Ohio, 2005

Preswyliad yn y brifysgol yn Rio Grande, ac am bythefnos roeddwn mewn ysgolion uwchradd gwahanol bob dydd ac weithiau yn darllen i gynulleidfa gyda'r nos. Ond yr atgof mwyaf oedd mynd ar ddydd Sul i gyfarfod y Crynwyr am y tro cyntaf. Roedd yr orig honno ymysg rhyw ddeuddeg o bobl yn feddyginiaeth go iawn. Ac ar ddiwedd y cyfarfod dywedodd un: 'Pan ddigwyddodd y rhyfel yn Irac, dyma'r unig ffordd oedd gennym i ddangos ein gwrthwynebiad, sef drwy sefydlu cylch y Crynwyr.' Ni ddarllenais nac adrodd cerdd Waldo iddynt, ond cefais hyd i 'gell' mewn 'neuadd fawr'.

Harare, 2005

Ar y bws yn Zimbabwe, mae'n wasgfa o bobl. Mae tyllau yn yr heolydd sy'n gwneud i'r bws ysgwyd o un pen i'r llall. Ond beth mae'r plant yn ei wneud o'm cwmpas? Bob tro y bydd y bws yn taro ar dwll byddant yn gweiddi 'Mongolia', twll arall, 'Ontario', ac ymlaen ar hyd y daith bob tro y bydd y bws yn bownsio gwaedda un 'Zanzibar' neu 'Dublin'. Gellid dweud eu bod o fewn rhai milltiroedd yn gweld y byd yn eu dychymyg ac yn troi sefyllfa enbyd y wlad a'i diffyg tarmac yn gêm ddifyr. O, ac mae'r bws yn stopio bob ychydig lathenni ar gyfer rhyw deithiwr gan nad oes system arosfeydd ganddynt.

Gwesty Meikles, Harare

Cyrraedd gwesty Meikles yn Zimbabwe. Y bachgen sy'n cario'r cês yn cyflwyno ei hun fel Victory. Does gen i ddim cildwrn yn arian y wlad iddo, felly rhof ddarn punt Lloegr iddo. 'I love English gold,' meddai. Bob tro y pasiwn yr un bachgen yn ystod fy arhosiad byddai'n tynnu'r bunt o'i boced ac yn ei chusanu. Rwy'n deall yr arwyddion i'r dim.

Wrth adael y gwesty, rhof ddwy bunt arall iddo. Mae'n llawenhau ac yn gwenu arnaf. Buddugoliaeth yn wir i un llanc sy'n haeddu gwireddu'r enw a roed iddo – Victory.

Gŵyl y Gelli, Cartagena, 2006

Darganfod cyfaill newydd oedd yn darllen gyda mi yno, y bardd Tishani Doshi o Fadras. Ei mam yn Gymraes o Nercwys a'i henw yw Eira. Heb orffen ysgrifennu'r gerdd 'Eira yn Madras', ond dyma ŵyl lle cawsom ryddid i weld y ddinas gaerog a chael cwmni Wole Soyinka a fynnai ymuno â ni bob tro yr aem am dro, gan ein galw'n 'The Three Musketeers'. Pan welai ein bod yn cerdded yn ôl i'r gwesty ar ein pennau ein hunain gyda'r nos, mynnai anfon ei warchodwr personol i'n dilyn o hirbell. Ond dyma un o'r mannau mwyaf diogel imi fod ynddo erioed.

Wedi dweud hynny, arall oedd fy mhrofiad yn Bogota, lle y bu bron imi gael fy arestio gan yr heddlu yno. Digon yw dweud i'r camddealltwriaeth gael ei ddatrys!

Metro, Oporto, Portiwgal, 2006

Darllen ar y Metro yn Oporto, ar un o adegau prysura'r dydd, ac un o'm cerddi, 'Gweld y Môr Gynta',' wedi ei hargraffu ar y Metro. Y bobl yn edrych mewn rhyfeddod arnaf yn darllen yn Gymraeg. Ond darlleniad Portiwgeeg yn dilyn gan Anna Maria Chaves o Brifysgol Minho.

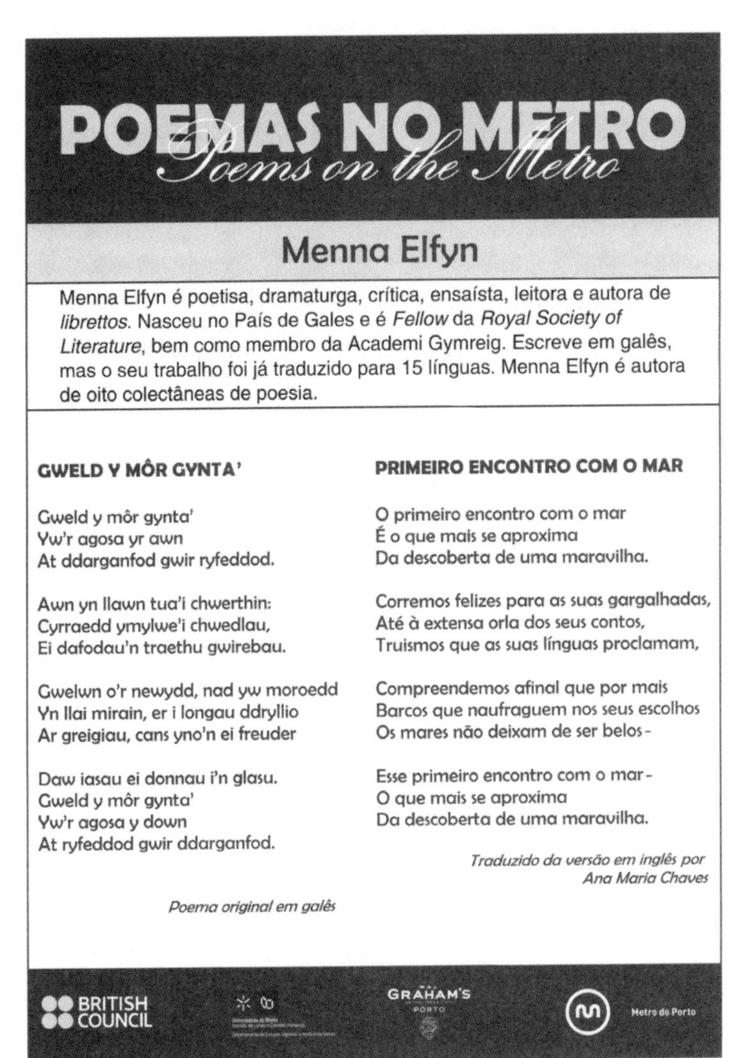

http://www.britishcouncil.org/portugal.htm http://www.teachingenglish.org.uk/britlit.shtml

Siop lyfrau, Donostia, 2006

Fy nghyfieithydd a'r bardd, Eli Tolaretxipi, yn sibrwd yn fy nghlust cyn dechrau'r lansiad, 'Paid â phoeni am y wraig surbwch sy'n plethu ei dwylo. Mae'n grac am ein bod yn lansio llyfr Sbaeneg yn Donostia – a'm modryb yw hi!' Wedi'r darlleniad, daeth ymlaen i siglo fy llaw a hanner gwenu ar ei nith. Wythnosau yn ddiweddarach, roedd Eli wedi penderfynu nad oedd dim amdani ond trosi fy ngwaith i'r iaith Fasgeg! Fel pe na bai'n ddigon iddi gyhoeddi dwy gyfrol eisoes o'm gwaith yn Sbaeneg, lansiwyd fy nghyfrol yn Euskadeg yn Baiona, ym mis Tachwedd 2016.

Tallinn, Estonia, 2006

Cyrraedd Tallinn mewn storm eira ac o fewn hanner awr, gorfod cerdded i'r brifysgol a gwneud darlleniad i neuadd orlawn o fyfyrwyr. Heb fwrw fy mlinder y bore wedyn, cael fy nhywys i wneud gweithdy dwyawr gyda'r myfyrwyr. Heb gael cyfle i weld fawr o'r ddinas, ond y tu allan i un siop gweld telyn Gothig yn rhydu a'i thannau yn rhacs. A minnau'n un sy'n canu'r delyn roeddwn am ei chofleidio a mynd â hi adre gyda mi!

Gŵyl Lyfrau Cairo, 2007

Darlleniad a gafodd ei ddarlledu hefyd ar deledu'r wlad adeg Gŵyl Lyfrau Cairo. Cymryd rhan mewn panel trafod llyfrau a chweryl mawr yn digwydd rhwng un awdur a Gweinidog Diwylliant y wlad. Mynnai nad oedd yn fodlon derbyn ei waith am nad oedd yn byw yn yr Aifft. Ar adegau fel yna, mae bardd Cymraeg yn cadw'n ddistaw. Yna, dywedodd wrthyf imi roi'r syniad iddo o gael ei waith wedi ei gyfieithu i'w famiaith, sef un o ieithoedd y Berber.

Drannoeth, cadeirydd y sesiwn yn dweud bod mam ei ffrind yn golchi ei harian bob dydd a'i roi ar lein ddillad am ei fod mor fudr. Ffordd newydd, onid e, o edrych ar 'money laundering':

Hyd yn oed heb ei dolach yn ei ddwylo
nid oes hafal i gyfalaf ambell ŵr
ac er mai i'r pant y rhed y dŵr,
rhaeadr
sydd ar waelod tyle.

I hen wraig ar gyrion Cairo,
bydd yn golchi ei harian
yn foreol cyn eu rhoi
ar lein ddillad –
yn bapurau gwlybion.

Yno, byddant yn suo a siglo'n y gwynt
cyn deffro ar eu hynt yn ddi-haint.
Yn yr oes hon, rhaid sgwrio am arian
glân.

('Arian Sychion', *Murmur*)

Donetsk, Wcráin, 2007

Gweithdai ysgrifennu creadigol yn y brifysgol yn Donetsk. Cael rhybudd y bydd yna rai am ysgrifennu yn Wcraneg, eraill yn Rwseg. Tensiynau unwaith eto yn gwneud imi feddwl am ffordd ddychymygus o fod yn gynhwysol wrth gyflwyno hanes Cymru, a'm gwaith yn Gymraeg a Saesneg. Penderfynu gwneud sioe cyn diwedd yr wythnos yn seiliedig ar *Under Milk Wood* yn eu mamieithoedd hwy. Byddai hyn yn caniatáu iddynt ysgrifennu am 'gymeriadau' penodol o'u pentrefi. Darganfod ambell gerddor, ambell actor gwych fel lladmerydd. Wrth gerdded yn ôl gydag un o'r criw, mynnai y dylwn fynd i'r Crimea nesa' i wneud yr un math o brosiect. Ni ddigwyddodd hynny, ond daeth gwahoddiad yn fuan wedyn i fynd i Kazakhstan i wneud cynllun tebyg. Oherwydd blinder teithio a gweithio a dolur gwddf, gorfod canslo'r daith honno ar y funud olaf. Colli'r cyfle i fod yng nghwmni Daniel Weissbort, fy nghyd-awdur ar y daith.

Cerdd y Tiwb, Llundain, 2009

Wyddwn i ddim am fy ngherdd ar y Tiwb yn Llundain nes cael cawod o e-byst gan bobl yn dweud gymaint roedden nhw wedi eu cyffwrdd gan 'Broits'. Gan mai cerdd am gyfaill imi a fu farw yn ifanc o gancr ydoedd, roedd pawb am adrodd eu hanesion hwythau. A dyna wireddu fy nghred ein bod yn ysgrifennu barddoniaeth yn y gobaith y bydd rhyw ddieithryn yn rhywle yn gweld y geiriau ac yn cael ei gyffwrdd ganddynt. Dyma un enghraifft gan ddyn o Lundain: 'Hello, I found Brooch on the underground the other day, and was quite amazed – it changed my day – wonderful. Thank you.'

Cynhyrchwyd poster, hefyd, yn Washington DC ac roedd y gerdd honno yn sôn am un noson stormus yn Brooklyn pan oeddwn yn methu â gadael gorsaf y Subway a phawb mor ofnus â'i gilydd, heb dorri gair ond gan deimlo'r elfen o ddynoliaeth yn llifo trwom. Roedd un yn darllen y Torah, un arall yn gwrando ar gerddoriaeth, un mewn hijab a minnau, Cymraes ofnus fel o hyd.

San Francisco: Gŵyl Farddoniaeth Ryngwladol yn y Palas, 2009

Darllen yn Gymraeg yn unig gyda'r cyfieithiadau Saesneg uwch fy mhen. Cael pleser eithriadol o ddarllen ar yr un llwyfan â Lawrence Ferlinghetti, un o arwyr y Beats, un y bûm yn edmygydd ohono. Yn ei nawdegau, edrychai yr un mor cŵl gyda jîns denim, gwallt hir a het cowboi. Un arall a drefnodd yr ŵyl oedd Jack Hirschman, bardd yn ei wythdegau ac awdur dros gant o gyfrolau o farddoniaeth. Pan ofynnais iddo beth oedd cyfrinach ei egni o hyd, ei ateb oedd: cael yr un cawl bresych bob amser cinio ers degawdau. H'm.

Cydgerdded y ddinas gyda Taslima Nasrin. Bardd a erlidiwyd o Bangladesh ydoedd, a hynny am ysgrifennu yn erbyn Mohamed mewn llyfr. O ganlyniad, cafodd ei hel o le i le ac o'i gwlad nes cael lloches dros dro yn America. Wrth gerdded fraich ym mraich â hi, gweddïo na fyddai unrhyw anffawd yn digwydd inni gan iddi ddweud fod tri *fatwa* arni. Syllu wnaethom o hirbell ar garchar Alcatraz y prynhawn hwnnw a minnau'n meddwl am gyfyngder ei byd yn byw, fel y dywedai, allan o 'suitcase', rhag ofn:

ar herw dy guro ar ganol stryd
a'r ddedfryd fu'n dal yr aer yn fud,
craig dy ddinas dithau,
dychwelwn i gyntedd gwesty,
pob un i'w stafell sanctaidd.

Alcatraz yw cnawd pawb
ar derfyn dydd.

Cerrynt sy'n bygwth
yn wên-las ar fan gwyn San Fran.

('Ar Daith Beryg', *Murmur*)

Gŵyl Farddoniaeth Sha'ar, Tel Aviv, Israel, 2009

Mae'n swnio'n fendigedig. Cael fy ngwahodd i ddarllen mewn gŵyl yn Israel gyda'r bardd a'r trefnydd Amir Or. Gwahoddiad anodd gan inni ddarllen gyda'n gilydd yng Ngŵyl y Gelli un flwyddyn a chadw mewn cysylltiad wedi hynny. Ond ni allaf dderbyn y gwahoddiad er y byddai'n golygu darllen yn Tel Aviv a chael y cyfle i ymweld â Jerwsalem. Mae'n ymddangos yn wahoddiad hyfryd gan y cynigiwyd gwyliau am ddim wedi'r darlleniadau mewn man ger y Môr Marw. Anfonaf i ddweud na allaf dderbyn tra bo Israel yn dal i adeiladu ar diroedd anghyfreithlon yn nwyrain Jerwsalem. Derbyniaf sawl ymateb yn mynegi dicter a siom yn sgil fy mhenderfyniad. Egluraf mai gyda chalon drom yr oeddwn yn gwrthod y gwahoddiad.

Yr un flwyddyn rwy'n noddi canolfan i bobl ifanc yn Aida, Bethlehem wrth iddynt recordio CD o'u côr. Clywaf yn ddiweddarach i fur uchel gael ei adeiladu o fewn tafliad carreg i'r ganolfan. Anogaf hwy i lunio stori am y mur a daw llyfryn trwy'r post gyda stori hyfryd rhwng mam a'i phlentyn gyda dychmygion y plentyn am y dulliau o oresgyn y wal. Mewn un rhan o'r stori mae'n dychmygu cael barcud a fydd yn hedfan yn uchel yr holl ffordd i Jerwsalem. Neu, efallai, medd y bachgen, y dof yn fynydd a fydd yn tyfu yn uwch na'r wal. Mae'r llyfryn yn fy atgoffa imi wneud y dewis cywir trwy wrthod ond rwy'n gweld y bardd mewn gwyliau eraill. Yno, rwy'n amddiffyn ei hawl i fod yno pan mae beirdd eraill yn arthio na ddylid gwahodd bardd o Israel. Dengys hyn gymhlethdod bod yn fardd yn yr oes sydd ohoni.

Gŵyl Farddoniaeth Ryngwladol, Olbia, Sardinia, 2009

Cael fy anrhydeddu gyda gwobr ryngwladol ar gyfer barddoniaeth yn yr ŵyl yn Olbia. Y flwyddyn gynt, roeddwn wedi bod yn darllen ac yn trafod fy ngwaith, â'm cyfieithwyr Eidaleg, Andrea Bianchi a Silvana Siviero wedi bod yn hyrwyddo fy nghyfrol *Autobiografia in Versi* yno. Dychwelais i ddarllen ac i dderbyn y wobr a gaiff ei rhoi bob dwy flynedd gan Gymdeithas Ddiwylliannol Amistade i gydnabod bardd sy'n ysgrifennu yn un o ieithoedd lleiafrifol Ewrop, a hynny er mwyn lledaenu'r drafodaeth ymysg Sardiniaid. Teimlwn yn flin na allwn gyfathrebu â hwy mewn Sardineg ond eu hymateb oedd eu bod am fy nghlywed yn derbyn y wobr yn Gymraeg yn unig.

Flwyddyn ynghynt, roeddwn wedi bod yn Sardinia yn darllen gydag Iwan Llwyd, Wiliam Owen Roberts a Harri Pritchard Jones ac yn eistedd un prynhawn ar y lan yn Platamona yn swatio oherwydd yr oerfel wrth weld Iwan yn mentro i'r môr. Ni allaf feddwl am Sardinia heb feddwl am y daith olaf honno gydag ef, ac yntau'n llawn brwdfrydedd wrth inni eistedd gyda'n gilydd ar yr awyren a chynllunio ymweliadau tebyg i Batagonia a mannau eraill:

> A'r draethell yn wag
> yn ffrewyll Medi,
> herio'r tonnau wnest,
> dychwelyd yn crynu;

swatio wnawn innau
wrth len wynt ar y lan,
iti, rhaid oedd mentro –
rhag aros mewn un man ...

A wyddem? Nid oeddem
am gredu mewn ffawd;
iti, pwyo'r dyfnder
oedd unwedd â'th rawd.
A chrynu wnawn ninnau
mewn hiraeth ar lan
am i'r llanw dy drechu
a'th gario i fan –

lle bydd miri a moli:
y ddeubeth, dy fryd;
lle bydd perthyn mewn chwerthin,
yn gefnfor o fyd.
Er crynu wnawn ninnau
yn oerfel ein gwae,
bydd distyll un waneg
hyd byth yn ein Bae.

('Er Cof am Iwan Llwyd', *Merch Perygl*)

Kerala, India, 2012

Edrych ymlaen at gael aros yn y rhan hon o India ar gyfer Gŵyl Kritya ond caf fy hun yn aros gydag ambell fardd arall yn llety'r heddlu tra bo'r beirdd iau yn cael lletya yng nghanol bwrlwm Trivandrum. Cawn ein tywys i fan caerog yr olwg gyda chŵn diogelwch o gwmpas y lle. Dywedir ei bod yn fwy diogel i ni yno o dan warchodaeth yr heddlu gan ein bod yn feirdd nodedig.

Gabriel Rosenstock, Anna Lombardo a minnau; cefn: Hanane Aad a Peter Waugh

I lawr y coridor o'm stafell mae yna swyddog yn eistedd gyda dryll yn ei law. Ei swyddogaeth yw amddiffyn pennaeth yr heddlu. Ganol nos, clywaf siffrwd ar y balconi a symudiadau yn fy stafell wely. Ofnaf y gwaethaf. Codaf yn barod i chwilio am y dyn gyda dryll pan welaf gynffon llygoden fawr yn sleifio y tu ôl i'r bin sbwriel yn y stafell gawod. Ond does dim golwg o'r dyn gyda dryll. Gwisgaf, af i lawr i'r dderbynfa i chwilio am gymorth ond mae yna dri swyddog yn cysgu'n drwm ar gadeiriau yn y cyntedd. Llwyddo i'w deffro ac yn anfoddog, wedi imi ddweud fy nghwyn, dilynir fi gan ddau ohonynt i'm stafell gyda bwced a brwsh mewn llaw. Ymhen chwinciad, dywedant iddynt ddal y llygoden. Mae'r wên rhyngddynt yn awgrymu yn wahanol a'r bwced ar oledd. Drannoeth, teimlaf elfen o gywilydd wrth basio'r ddau swyddog. Sut na ellais ddelio â'r sefyllfa fy hun? Ac i ble y diflannodd y dyn gyda dryll pan oedd ei angen arnaf?

Gŵyl y Gelli, 2013

Cael fy ngwahodd i lansio *Murmur*, gyda Fflur yn lansio ei CD *Ffydd, Gobaith, Cariad*. Cyfle prin i ni'n dwy ddarllen a chanu am rai aelodau o'r teulu.

Rhannu'r llwyfan yn y Gelli gyda Fflur, Mehefin 2013

Mam-gu a Dad-cu Deri (dde) ar wyliau yn Llanwrtyd gyda pherthnasau yn y tridegau; cawsant eu hanfarwoli yn y Gelli!

Shenzhen, Tsieina, 2013

Darllen yn y brifysgol yn Tsieina a chael syndod o weld ciw enfawr y tu allan i'r ddarlithfa. Mae'r ddinas hon yn nhalaith Guangdong yn enwog am ei chyfoeth. Pentref pysgota ydoedd unwaith ond yn awr mae yn denu ymwelwyr gyda pharc yn dynwared atyniadau Disneyaidd.

Cael rhybudd i beidio â dweud dim byd gwleidyddol ac felly gorfod bod yn ofalus gyda'm geiriau. Darllen gyda Dunya Mikhail a erlidiwyd o'i mamwlad yn Irac a chael lloches yn America ddegawd a mwy yn ôl. Adroddodd am dristwch ei gwlad a'r mannau na all fynd iddynt trwy'r ffiniau a godwyd gan wahanol garfanau.

O.N. Adnod ddoeth ar wefus fy nhad bob amser oedd, 'Helaetha dy babell ... ond sicrha dy hoelion'. Ac yng Nghymru y mae fy hoelion o hyd.

8
LLENYDDA

Cyfnod cyffrous oedd y chwedegau gyda cherddoriaeth fodern yn ffordd o strancio yn erbyn y drefn. Ar wahân i'r Beatles yr oedd cantorion fel Joan Baez a Bob Dylan yn fy ysbrydoli i geisio ysgrifennu caneuon. Y cam naturiol oedd dod yn berchen ar gitâr, ond i fod yn wahanol, ceisiais feistroli'r *zither.* Offeryn digon anhylaw oedd hwnnw, rhaid cyfaddef, ac er imi fod yn organydd yng nghapel Peniel, Caerfyrddin am rai blynyddoedd, y delyn oedd fy mhrif offeryn.

Helen Gwynfor (Phillips) a minnau, 1967

O'r chwith i'r dde: Y Trydan – Menna Elfyn, Helen Gwynfor a Joan Gealy

Yn 1967, ffurfiwyd band Y Trydan, sef grŵp o dair ohonom: Helen Gwynfor, cyfansoddwraig, Joan Gealy, y brif gantores, a minnau'n gyfrifol am y geiriau a'r delyn. Uchafbwynt llwyddiant y band oedd ennill y gystadleuaeth cân bop yn Eisteddfod yr Urdd, Llanrwst yn 1968 gyda'n cân 'Rhoddais Fryd'. Yn ddiweddarach y flwyddyn honno, gwnaethom record EP gyda Recordiau'r Dryw yn Abertawe.

Er cael mwynhad o ganu yn y band, daeth hynny i ben wrth imi ymadael am y brifysgol. Ond daliwn i 'glywed' geiriau a daeth barddoni i oddiweddyd yr awydd am ganu offerynnau. Onid oedd y llais yn offeryn beth bynnag? Pan ddechreuais ddarllen cerddi Saesneg, gan fwyaf mewn *vers libre*, clywed cerddi a wnawn wrth eu llunio, a bu hynny'n ddigon o gynhaliaeth imi nes cael y cyfle annisgwyl i ymwneud â byd y *libretti*.

Cefais fy newis gan Gwmni Opera Cenedlaethol Lloegr, yr ENO, yn un o bum bardd, i gydweithio gyda phum cyfansoddwr, pump o gantorion, cyfeilyddion a chyfarwyddwyr opera i greu gweithiau newydd. Bwriad y cynllun Labordy oedd meithrin partneriaethau rhwng bardd a chyfansoddwr a fyddai wedyn yn creu opera bymtheg munud a gâi ei pherfformio ymhen deng niwrnod o flaen cynulleidfa ddethol, y rhan fwyaf ohonynt yn gysylltiedig â'r Cwmni Opera Cenedlaethol. Er imi ddweud mai bardd Cymraeg oeddwn, yr ateb a gefais oedd bod Don Paterson wedi creu ei iaith newydd ei hun ar gyfer ei opera ef flwyddyn ynghynt. Felly, rhois gynnig arni. Bu'r fenter yn llwyddiant ysgubol wrth imi gydweithio gyda chyfansoddwr ifanc o Efrog Newydd, Aaron Jay Kernis. Cawsom ganmoliaeth uchel i'r opera a seiliwyd ar Santes Dwynwen. Doedd neb wedi clywed am y fath chwedl ramantus a thrist o'r blaen a chynigiai'r testun hiwmor a dwyster. Mynnodd y trefnwyr y dylem barhau i gydweithio wedi i'r opera fer honno gael ei pherfformio.

Llawenydd o'r mwyaf, felly, oedd cael comisiwn a gwahoddiad gan Gorfforaeth Walt Disney i gydweithio fel libretydd gydag Aaron Jay

Kernis ar gyfansoddi symffoni gorawl i ddathlu'r mileniwm. Bwriad Disney oedd dangos eu bod hefyd yn hoffi noddi gwaith clasurol.

Teithiais i Efrog Newydd am dair wythnos i fis ar y tro am dros flwyddyn a hanner. Hwn oedd un o brofiadau gorau fy ngyrfa. Roedd cael bod yn y ddinas honno, ar fy mhen fy hun, yn ffordd o gael y 'feudwyaeth' y crefwn amdani fel un a hoffai unigedd. Rhoddodd amser i mi wneud ymchwil, gweld dramâu, a theithio ar hyd a lled Efrog Newydd gan ddychwelyd i foethusrwydd Gwesty'r Regency, man a ddewiswyd gan Disney i letya artistiaid, a hynny yn Park Avenue o bob man. Ar wahân i'r moethau arferol, roedd yno lyfrgell ac yn fy ystafell wely, gegin fwy o faint na'r un oedd gennyf gartref!

Enw'r symffoni oedd 'Garden of Light', a'r testun a luniais oedd hwnnw am chwedl Taliesin am ei fod yn caniatáu imi gyfuno'r telynegol gyda byd y dychymyg. Perfformiwyd y gwaith yn ystod hydref 1999 yng Nghanolfan Lincoln yn Efrog Newydd gyda Cherddorfa Ffilharmonig Efrog Newydd o dan arweiniad Kurt Masur gyda holl sbloet arferol cwmni Disney.

Ond nid yw beirdd yn gyfarwydd â charpedi coch a phan ddeuthum allan o'r limosîn i'r derbyniad siampaen cyn y perfformiad, dyma gamu i ganol torf oedd yno'n syllu ar y gwahoddedigion, dim ond i ryw swyddog weiddi ar fy ôl: 'Lady, you're meant to be walking the red carpet'! Yn ffodus, roedd fy nghymar yno hefyd i'm cadw ar y llwybr cul!

Tybiaf mai dwy o'r cerddi gorau imi eu llunio pan oeddwn yn Efrog Newydd oedd 'Cath i Gythraul' (ar ôl darllen yr hanes mewn papur newydd), a 'Bore da yn Broadway'. Lluniais y gerdd hon wedi i ddyn o Irac weini brecwast imi yn y caffi yr awn iddo bob bore. Pan holodd fy hanes, dywedais mai Cymraes oeddwn, ac ar ôl esbonio ble roedd Cymru ar fap, gofynnodd imi ddysgu 'bore da' iddo. Dysgodd yntau'r Arabeg am 'bore da' i minnau a bu'r cyfeillgarwch yn un cynnes. Dychmygwch fy syndod, felly, chwe mis wedi i'r gerdd gael ei chyhoeddi, wrth i'r ymosodiad ar y tyrau ddigwydd gyda phobl fel ef yn sydyn yn destun drwgdybiaeth.

Yn hwrli bwrli Broadway,
brwd yw enw'r bore
anadl pob un ar wydr,
gwefus a gwaill
yn anweddu piser mawr y byd.

A chanaf pan welaf groen yr awyr –
afalau gwlanog yno'n ein gwahodd
i'w pherllannoedd pell â moliant.
Af yn llawen i'r un lle
sef yma, yw mannau 'nunlle;
rhwng stryd pedwar deg saith
a phedwar deg wyth –
lle mae de a gogledd yn cwrdd,
dwyrain yn daer â'r gorllewin –
yn rhannu llestri'r dydd.

A bydd 'bore da' o enau
gŵr o Irac yn fy nghyfarch,
gwenau sudd yr olewydd
yn siriol o blygeiniol,
a'm hateb, mewn Arabeg anwar,
blera diolch uwch cwmwl o goffi
ac ebwch yn drwch o fyrlymau –
ger fy mron fel gwg elyrch.

A byddaf yn gwylio'r awyr
gan ddal holl ffenestri dynion yn ei freichiau,
yn diolch am droi'r ddinas yn anhysbys;
ar dro, cynefin sy'n gynnar ei haf.

A byddwn yn estyn a derbyn,
yn bendithio byd rhwng y dysglau
cyn ymddieithrio yn ôl yn gaeth wedyn.

Ym mhob bore brwd
hawdd yw dal i gredu y gall byw
fod fel llinellau cynta' stori dda,
cyn ildio i iaith neb yr hysbysebion
gan wybod am y 'man gwyn man draw'.

Ac mor ddengar yw dwyrain a gorllewin
– llithriad tafod sy'
rhwng nam a cham ym mhroflen y cnawd.

A chanaf wrth ymryddhau o'r oed
nad entrych mo'r awyr a'i fricyll gwanolau,
ond ei fod yn dyfod amdanaf, â'i draed ar y llawr.

('Bore da yn Broadway', *Perfect Blemish/ Perffaith Nam*)

Ymddengys y gerdd honno, a gyhoeddwyd yn mis Ionawr 2001, yn broffwydol wrth gyfeirio at y gorllewin a'r dwyrain ac mae'r llinell 'gan ddal holl ffenestri dynion yn ei freichiau' bron iawn fel pe'n rhagfynegi'r drychineb a ddigwyddodd ar Fedi'r 11eg, 2001 a'r ffordd y daeth yr awyr i lawr. Yn rhyfedd iawn, roedd fy nghyfansoddwr yn mynnu cwrdd yn y mannau mwyaf anghyfleus weithiau ac ymhell o ganol Manhattan, a hynny, meddai, am yr ofnai y gallai gweithred derfysgol ddigwydd fel a ddigwyddodd yn Llysgenhadaeth America yn Nairobi ar Awst y 7fed, 1998.

Meddyliais yn aml am y dyn hwnnw a weithiai yn y caffi ac am ei deimladau wrth i'r rhyfel yn Irac ddigwydd ddwy flynedd yn ddiweddarach. Lluniais gerdd am Ryfel Cyntaf y Gwlff ac am fachgen bychan o Basra a'i fryd ar fod yn fardd cyn i effeithiau gwenwynig y rhyfel ei ladd – bu farw yn 1999 o liwcemia:

Maddau im Jassim,
am ddwyn dy eiriau
er mwyn ennill calonnau.
Ti oedd y bardd bychan
fu'n gweithio'n y stryd,
yn gwerthu sigarennau
nes i fwg arall
feddiannu dy wythiennau.

Wna i ddim dweud llawer
am y rhyfel, na'r amser
pan oedd iwraniwm
a thaflegrau trwm
yn codi'n llwm uwch Basra,
nes i storm yr anial ddifa
rhai fel ti.
      A does 'na fawr o bwynt
imi grybwyll y bydd ei wynt
yn cerdded y tir
am amser hir, hir,
pedwar mileniwm i ddweud y gwir.

Achos doeddet ti ddim yn rhan o hanes
y dynion mawr. Eu dial. Na'u sgarmes.
Heblaw am y frwydr am anadl
doeddet ti ddim yn rhan o'r ddadl
wrth iti gasglu llond gwlad o ddiarhebion
mewn ysgrifen fân a llyfrau breision.

Dyma un iti yr eiliad hon
'Gwyn eu byd, y pur o galon'.

A beth oedd y rheiny a luniaist ti?
'Beth, angau, sydd yn fwy na thydi?'

Nyni, feirdd bychain, ar dir y rhai byw,
ein sgwennu'n sownd dan angerdd
a'r Creawdwyr newydd yn llunio'r hengerdd.

('Cân i'r Bardd Bychan', *Perfect Blemish/ Perffaith Nam*)

Ond cerdd a gipiodd naws y cyfnod hwnnw o fyw'n alltud oedd 'Harlem yn y Nos', cerdd jazzaidd o ran ei rhythmau sy'n cyfleu ymddieithredd menyw groenwyn o Gymru wrth deithio yn ôl i'r gwesty ar ei phen ei hun. Byddwn yn mynd ar y Subway i gartre'r cyfansoddwr yn hwyr yn y prynhawn ac yna'n dychwelyd drwy Harlem i Manhattan yn y bore bach. Mynnai nad oedd tacsis yn hoffi teithio'r ffordd honno yn hwyr y nos ac mai Latinos oedd y rhai mwyaf anhysbys yn eu hen geir salŵn. Byddai giangiau yn sefyllian ar gonglau wrth oleuadau gan syllu ar y ceir a â'i heibio. Teimlwn yn chwithig weithiau wrth weld y graffiti: 'Harlem is for Harlemites', a theimlo dros y difreinedd a ddioddefai'r bobl dduon o hyd gyda geiriau Langston Hughes, fod Harlem yn 'state of mind' yn fy nghlyw. Caiff yr aflonyddwch ei fynegi yn y gerdd gyda phwyslais ar yr un gair llwythog hwnnw, 'du':

Ond heno mae'n hwyr. A minnau
am groesi'r ddinas. Ac mae'n ddu allan –
yn ddu llygoden eglwys. Amdanaf i

rwy yng nghefn cerbyd sgleiniog
sy'n brolio ei ddüwch. Latino wrth y llyw,
mwy du na gwyn, lliw sinamon.

Ni ddeall Saesneg ond rhyngom, rhannwn
iaith olau'r materol a'i doleri,
yn wynion a gwyrddion ysgafn.

Rydym hanner ffordd rhwng gadael
a chyrraedd. Hanner ffordd rhwng
myned a dyfod. O'r tu ôl imi

ardal Iddewig. Y rheini â'u hachau
yn nüwch Dachau a Buchenwald.
Daw du er hynny yn lliw newydd

ymhob oes. A, heno taith ddirgel
yn y nos yw, a minnau'n wanllyd
gan wynder, wrth wibio trwy ddüwch

a'i drwch oriog yn Harlem ...
('Harlem yn y Nos', *Perfect Blemish/ Perffaith Nam)*

Ychydig a feddyliais, wrth sôn am y 'du' yn ymddangos fel lliw newydd ymhob oes, y byddai'r fath ddilorni ar bobl o'r Dwyrain Canol, Moslemiaid yn bennaf. Yn yr un modd, pan ffurfiais gyfeillgarwch gyda'r gŵr o Irac yn 1999, ychydig a feddyliais y byddai lluoedd Prydain ac America yn ymosod ar ei wlad enedigol.

Ond roedd y comisiwn a gefais gan Ŵyl Tŷ Newydd wedi marwolaeth R. S. Thomas yn un a oedd wrth fodd fy nghalon, nid yn unig am y cyfrifwn ef yn gyfaill barddol ond am y teimlwn y rheidrwydd i greu *libretto* a fyddai'n tystio i'w fawredd fel un o'n prif feirdd. Bu'r cyfansoddwr Pwyll ap Siôn a minnau'n pendroni sut roedd modd cyflawni'r comisiwn o gofio'r cyfyngder amser. Yr ateb oedd imi ddarllen y *libretto* ac iddo yntau lunio cerddoriaeth a fyddai'n cael ei mewnosod – fel y bo'r geiriau yn dibynnu ar y llais noeth ac yna'r delyn o dan law Elinor Bennett yn cyfoethogi'r geiriau hynny.

Ond digwyddodd rhywbeth rhyfedd wrth inni ymarfer y gwaith noson cyn y perfformiad. Roeddwn yn Neuadd Ercwlff ym Mhortmeirion ac yn disgwyl i Elinor gyrraedd. Clywais gnoc ar y drws a minnau'n credu mai Elinor oedd yno yn galw am help gyda'r delyn. Onid oeddwn yn hen gyfarwydd fy hun â llusgo telyn o gwmpas unwaith i gyngherddau? Ond na, doedd hi ddim yno. Daeth cnoc eto, a dyma fi'n edrych i fyny ac yn gweld titw tomos las yn cnocio yn ddidrugaredd ar y ffenest. Yn beniwaered, gwnâi'r pyncio rhyfeddaf. Ond roedd rhywbeth rhyfeddach ar ddigwydd.

Pan gyrhaeddodd Elinor, a ninnau'n dechrau ymarfer y darnau, dechreuodd y cnocio eto fel pe bai'r aderyn yn benderfynol o ymuno â ni. Ai R.S. ydoedd mewn difrif yn cael ei ddymuniad i fod yn aderyn yn y byd arall? Tystiodd Pwyll ac Elinor i'r un digwyddiad a chawsom hwyl fawr wrth feddwl am yr aderyn. Ond, ar fore'r perfformiad, daeth drachefn i ymyrryd â sgwrs John Davies a oedd yn rhoi darlith ar 'R.S. ac adara'! Yr oedd yr aderyn unwaith eto yn ei ogoniant yn trydar yn bowld, ond y tro hwn o flaen cynulleidfa lawn o bobl.

Parhaodd i delori yn ystod ein perfformiad ac nid oedd dim amdani wedi mynd adre ond llunio cerdd i groniclo'r digwyddiad:

Ymarfer ar gyfer gŵyl
nes i sioc y gnoc
    geincio ffenest;
yn ddi-sgôr yno'n telori
un titw Tomos bach
    wrth y cwarel, ac o'r cracie
galwodd arnaf o'r cyrion.

Plyciodd fel pe mewn plygain,
    dim ond fe a fi
a neb arall,
    dau big mewn unigedd.

Yna, yng nghlyw'r delyn
    dychwelodd i blycio,
ei adain yn troelli,

  ac i sain tannau, ymunodd
â'r gyngerdd o'i werddon.

Drannoeth,
daeth glas y pared
yn ôl i weld hen ffrindiau,

wrth i rai sôn amdano,
yn caru pob curiad,
o'r adain mewn ffurfafen.

A phrofwyd y wireb
mai adar o'r unlliw … ehedant …
  Eithr cofio'r dieithryn
a wnaf o hyd,
yn yr Ebrill bach ebilliodd,
  acenion cyn canu,
ti a mi
  lygad at lygad
yn troi'r neuadd wag yn nyth o ddathliad.

('Titw Tomos', *Perfect Blemish/ Perffaith Nam*)

Dyna wir wireddu enwi'r titw glas yn titw Tomos las.

Wedi perfformio 'Emyn i Gymro', daeth comisiwn oddi wrth Adran Ieuenctid a'r Gymuned Cwmni Opera Cenedlaethol Cymru i lunio oratorio. Dechreuwyd ar y gwaith o lunio testun ar thema 'William Morgan' ond penderfynwyd rhoi gogwydd mwy cyfoes ar y thema honno. Daeth Awen, yr artist tatŵ, wyneb yn wyneb ag Anwar sydd fel rhyw William Morgan cyfoes yn cydlynu cyfieithu'r Beibl i amryfal ieithoedd. Yn sgil llwyddiant y gwaith yn 2012, gofynnwyd inni ei ymestyn a'i droi'n opera. Gwych, felly, oedd ysgrifennu opera greadigol gyfoes gyntaf y mileniwm i'r Cwmni Opera Cenedlaethol gyda'r rhan fwyaf yn Gymraeg gydag ychwanegiadau Saesneg. Dyma ddarn lle mae

Anwar ac Awen yn dod i gyd-weld â'i gilydd ar ôl cyfnod o wrthdaro. Caraf ormodedd opera yn ogystal â'r ffordd y mae'n ailadrodd yn barhaus rai motifau fel y canlynol:

> Anwar: Beth oedd hiraeth ond darn o dir unwaith?
> Awen: Beth yw codi to ond cael lloches odano?
> Anwar: Pwy fydd yn trefnu y deyrnas heddi?
> Awen & Anwar: Un ffordd sydd i ennill a hynny – drwy sefyll.

Bellach, mae oratorio arall ar y gweill i'r Cwmni Opera Cenedlaethol ar gyfer 2019. Ac mae'r mwynhad o asio geiriau gyda cherddoriaeth yn dal i'm cyffroi yn barhaus. Hwyrach ei fod yn diwallu fy angen am ymgysylltu â cherddoriaeth mewn ffordd ymarferol ond o hyd braich. Llwyddiant unrhyw *libretto* yw ei allu i ysbrydoli'r cyfansoddwr a rhaid derbyn mai eilradd yw swyddogaeth y libretydd hyd yn oed os mai hi – yn yr achos hwn – sy'n rhagflaenu'r gwaith.

Bu comisiynau eraill dros y blynyddoedd: cantata 'Y Dyn Unig' (Andrew Powell), a 'Caban Coed' (Andrew Powell); 'Hawddamor: hanes Culhwch ac Olwen' (Pete Stacey); 'Y Bont' (Rob Smith); ac 'Agoriad' (John Metcalf). Uchafbwynt arall oedd derbyn comisiwn i ysgrifennu tair cân i gerddoriaeth Karl Jenkins ar gyfer agoriad Canolfan y Mileniwm yn 2004 gyda'r frenhines yn bresennol. Cyffro o'r mwyaf oedd cael trafod y gwaith yng nghwmni Karl Jenkins yn ei stiwdio yn Soho.

* * *

Llunio dramâu ar gyfer gwahanol gwmnïau drama a'm cynhaliodd drwy'r nawdegau. Profiad dymunol oedd ysgrifennu 'Madog' a luniais yn gyntaf fel cylch o gerddi gan i Theatr Taliesin Wales ddymuno cael drama fydryddol. Ond cefais dri mis o fod yn ddramodydd preswyl un haf gyda'r cwmni theatr a'r actorion yn Stryd Maerdy, Grangetown ymysg teuluoedd o dalaith Gwjarati yn eu canolfan gymdeithasol.

Cefais fy hun yn ysgrifennu deialogau a chaneuon ar gyfer y ddrama bromenâd a'r cyfuniad rhyfeddaf o wahanol draddodiadau theatrig. Cyn diwedd yr haf yr oedd y sgript nid yn unig yn Gymraeg, gyda rhannau yn Saesneg, ond hefyd roedd rhannau yn yr ieithoedd Gwjarati, Punjabi, Sioux a Lladin. A meddyliwch am fy syndod fy mod yn cael ysgrifennu ar gyfer yr actorion a ddewiswyd – y diweddar Elfed Lewys, fy ngweinidog ar y pryd, a'r prif actor a chwaraeai ran John Evans, ac Eddie Ladd, un o'm disgyblion mwyaf disglair yn Ysgol Uwchradd Aberteifi. Bu'n brofiad dihafal i mi ac yn fedydd tân i gydweithio gyda chynifer o bobl o bob tras.

Teimlais falchder hefyd pan nododd y diweddar Gareth F. Williams mewn adolygiad yn *Golwg*, 'Rwyf am ddweud yn syth bin mai *Madog – Wales Discovers America* oedd y profiad mwya byw a syfrdanol i mi ei gael erioed.' Cyd-ddyheu oedd un o gymhellion mwyaf y sioe fel y nodais mewn cerdd yn rhaglen *Madog*:

Gall fod yn orthrymedig ddu,
Yn Indiad o genhedliad,
Methodist neu anffyddiwr,
Hindw neu Foslem.

(rhaglen 'Madog', Theatr Taliesin Cymru)

Cefais y pleser o weithio y flwyddyn ganlynol i'r cwmni, a phenderfynodd Theatr Taliesin Wales barhau i gyfuno theatr broffesiynol gydag actorion o'r gymuned. Dewiswyd ardal Crymych fel man delfrydol ar gyfer perfformio drama Nadoligaidd gyda gogwydd gwleidyddol iddi. Lluniais 'Trefen Teyrnas Wâr' gyda chast enfawr eto a Nic Ros fel cyfarwyddwr theatrig. Gwnaed ffilm deledu ohoni gan Gwmni Boda yn 2002. Drama lwyfan arall a ddarlledwyd yn ddiweddarach ar S4C oedd 'Melltith y Mamau' a berfformiwyd gyntaf yn Theatr Clwyd, adeg Eisteddfod Genedlaethol Bro Colwyn 1995, gyda Ceri Sherlock yn gyfarwyddwr. Buom yn cydweithio ar brosiectau eraill wedi hynny – ffilm fel *Jac Abertawe* ac *Y Coed*, trosiad o ddrama David Mamet. Gwnaed cynhyrchiad awyr agored gyffrous o'r ddrama gyda Daniel Evans a Maria Pride, a berfformiwyd adeg Eisteddfod Genedlaethol Bro Ogwr 1998.

Lluniais ambell ddrama gymunedol arall – y fwyaf pleserus oedd 'Malwod Mawr', drama a berfformiwyd mewn neuaddau pentref ar draws Sir Gaerfyrddin. Does dim byd yn rhoi mwy o fwynhad i ddramodydd na chlywed cynulleidfa'n chwerthin yn uchel. Ond er cael boddhad o ysgrifennu dramâu llwyfan, credaf fod hyblygrwydd dramâu radio yn gweddu'n well i mi. Pan gefais wahoddiad i ysgrifennu drama radio gan y cynhyrchydd Aled Jones o BBC Bangor, derbyniais yn llawen. Gyda chynhyrchydd mor ddeheuig, gallwn fwrw iddi gan wybod y byddai'n parchu'r gwaith ac y byddai'r cynhyrchiad yn un teilwng. Ysgrifennais ddrama yn flynyddol iddo, dwy mewn un flwyddyn, hyd nes iddo ymddeol. Bu'r dramâu hyn yn fodd i fyw imi, a'r ymateb iddynt. Cafwyd ymateb diddorol i ambell un, fel 'Ann', sef drama am Ann Griffiths. Roedd 'Colli Nabod' yn un arall a fwynheais yn fawr a'i chwblhau mewn gwesty yn Bangalore o bobman! Lluniais 'Iechyd yw Popeth' wrth erchwyn gwely fy mam wrth iddi waelu yn yr ysbyty, a rhwng cwsg ac effro cyfansoddais eiriau a oedd yn mynegi ei theimladau fel y cerddor dawnus ydoedd. Roedd y radio yn medru cyfleu'r effeithiau cerddorol yn berffaith. Mae maes y ddrama radio yn un rwy'n dal i ddyheu am gyfrannu mwy tuag ato ac er cael fy annog i gyfieithu rhai ohonynt ar gyfer Radio 4, nid yw ailbobi pethau, pan allwn greu o'r newydd, yn fy nghyffroi.

* * *

Artist cerfluniau mawrion sydd â'i waith i'w weld trwy Gymru yw Howard Bowcott a phan ofynnodd imi lunio geiriau am lo i'w gosod ar ddarn o gelf gyhoeddus yng nghanol sgwâr Tonypandy, roeddwn wrth fy modd yn cael gwneud o gofio am fy nhad-cu, y glöwr a laddwyd dan

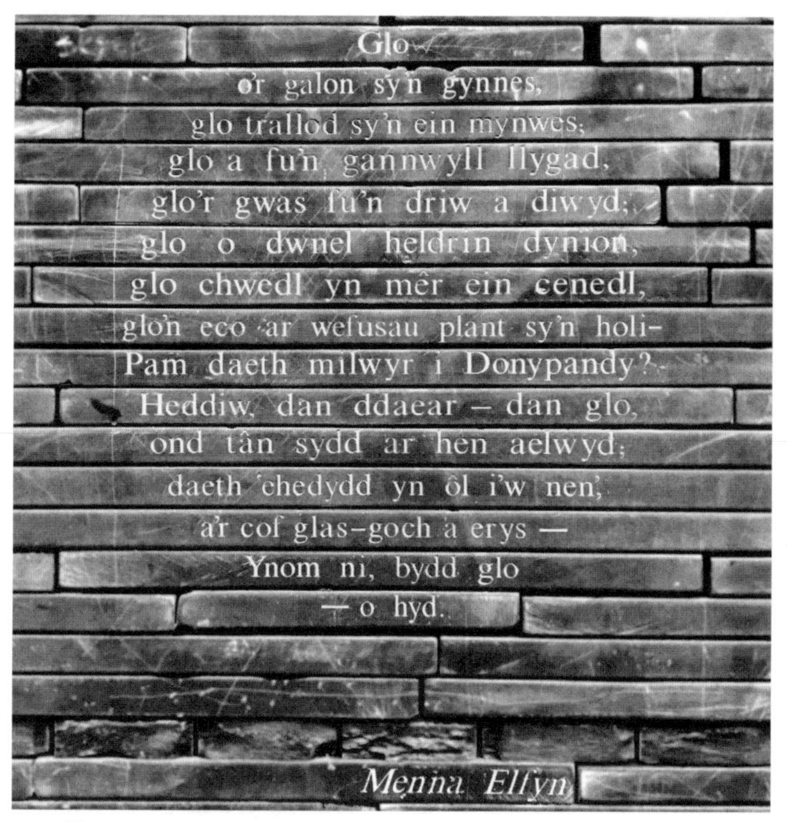

Y gerdd 'Glo' ar sgwâr Tonypandy

ddaear. Priodol oedd mynd â Mam gyda mi i'r agoriad swyddogol, un o'r achlysuron prin y daeth i weld fy ngwaith a hynny gan y tueddwn i gadw fy nheulu o ddigwyddiadau felly. Unwaith eto, roedd cydweithio gyda'r artist yn sialens gyffrous gan y cawn ganddo gomisiwn nid o ran hyd y llinellau ond o ran nifer y llythrennau yr oedd eu hangen arno.

Rhyfedd oedd cael comisiwn i ddychwelyd i Gas-gwent lle treuliais fore oes yn yr ysbyty. Y tro hwn, llunio cerddi cwta, gwirebol oedd y nod, yn Gymraeg a Saesneg, gan gofio am bwysigrwydd Cas-gwent fel man masnachu. Yr un broses a arferwyd gan gynnal gweithdy mewn ysgol neu holi pobl yn y gymuned. Yn achos comisiwn cefn marchnad y Fenni, chwiliwn am eiriau a fyddai'n cyffwrdd â lled-adnabyddiaeth rhai o'r iaith Gymraeg. Weithiau roeddynt mor wirebol â 'stryd fawr, ysgyryd fach'. Neu 'gwaith a lluniaeth – ein cynhaliaeth'. Bwriad y geiriau oedd gwahodd rhai i oedi a meddwl o'r newydd am ymadrodd fel: 'cerrig nadd yn gwadd gwladwyr i Gymru'. Hefyd: 'Ail i Eden yw'r Fenni/ o oes i oes ei chroeso/ hafod a hendre/ heddi a heno'. Rhaid oedd i'r ymadroddion dycio heb ffrils, megis:

hen garreg, newydd gyrraedd,
maen ar faen fan hyn,
gwag yw'r bragdy,
brics coch, geiriau glas.

Yn Saesneg wedyn: 'wheat and rye, home and dry, goods to buy'.

Yn 2014, gofynnwyd imi lunio cerdd un llinell ar gyfer cylch gwydr a fyddai'n tystio i'r sawl a roddodd organau i achub bywydau eraill yn ogystal â mynegi diolchgarwch y sawl a dderbyniodd y rhoddion hynny. Gwelir y *roundel* yn Ysbyty Treforys, ac unwaith eto, chwiliwn am eiriau syml a fyddai'n gweddu ac yn adleisio dwyster a llawenydd y fath achlysur:

O law i law y daw anadl; cân hiraeth, cerdd llawenydd

Mor llwythog gyfoethog yw'r gair 'cerdd' yn Gymraeg. Braint oedd bod yn yr agoriad yn cwrdd â'r galarwyr a'r goroeswyr fel ei gilydd. A dyna hanfod celf gyhoeddus, sef y cydadwaith gyda phobl o bob math, boed yn gaplan, meddyg neu dderbynnydd organ.

Ond y comisiwn mwyaf annisgwyl a dderbyniais oedd cais i ysgrifennu dwy linell o farddoniaeth ar gyfer cofeb Catrin Glyndŵr yn Llundain yn 2001. Heb wybod y nesaf peth i ddim am ei hanes fel merch i Owain Glyndŵr a hanes ei phlant a garcharwyd gyda hi a'u marwolaeth annhymig yn y Tŵr yn Llundain, cefais fy hun yn ymchwilio'n drylwyr nes bodloni ar ddwy linell: 'Godre Tŵr, adre nid aeth/ aria ei rhyw yw hiraeth'. Lleolir y gofeb mewn gardd fechan yn Cannon St, Llundain. Ond cofeb arbennig yw, ac fe saif dros bob mam a merch a ddioddefodd o achos rhyfel. Dadorchuddiwyd y cerflun coffa gan yr actores o fri, Siân Phillips, a darllenodd gerdd a luniais ar gyfer yr achlysur:

Wedi'r brad ar baradwys
  A'i dwyn yn yr oriau dwys
O'r fan a fu yn annedd.

Bu dur amdani'n furiau
  Mewn gwlad bell a'r gell ar gau
Yn anair, bu'n ddienw.

Bu'n wâr wrth hirymaros
  Yn oriau noeth hwyra'r nos
Bu'n anian pob hunaniaeth.

Er hanes blin ddrycinoedd
  Bu'n rhiain gywrain ar goedd
Yn cadw urddas traserch.

Wrth y Mur, deil aberth merch
  I hawlio'r gri, i wylo'r gred –
'Hi hen, eleni ganed.'

('Catrin Glyndŵr', *Perffaith Nam*)

Ond er llunio'r gerdd amdani, ni allwn beidio â meddwl amdani ac am ei phlant. Sut y gallodd ddifyrru'r amser gyda hwy a'u cadw rhag haint a syrffed? Dyna sut y daeth dros ddwsin o gerddi i fodolaeth a'u cyhoeddi yn *Murmur* (2012).

Mae mannau eraill lle y gwelir fy ngwaith. Cofiaf i fyfyriwr fynd gyda'i wraig i fan siopa yn Slough ac wrth gerdded allan o'r siopau, iddo weld fy enw ar y stryd a chyfieithiad o'r llinellau hyn o gerdd a luniais am fynd â 'Nhad am dro:

> O gam i gam awn adre'n gwybod
> Mai mynd a dod yw dull y pridd a'r glaswellt.

* * *

Ar wahân i'r sgriptiau a'r dramâu, cefais gomisiwn yn y nawdegau cynnar i lunio rhaglen ddogfen. Gan mai rhyfel teledu Fiet-nam a'm clwyfodd yn fy arddegau, cefais fynd yno i wneud ymchwil ar fy mhen fy hun, gan ddychwelyd y flwyddyn wedyn i ffilmio. Bryd hynny, nid oedd twristiaeth yn ei hanterth, ac amheus oedd yr awdurdodau o'r cymhellion dros greu'r rhaglen. O ganlyniad, cefais fy 'ngwarchod' gan adran lenyddiaeth y llywodraeth a chael cyfieithydd wrth fy ochr a wnâi yn siŵr nad oeddwn yn mynd ar gyfeiliorn nac yn gofyn cwestiynau lletchwith. Wedi glanio, rhaid oedd rhoi fy mhasbort a

Ffilmio yn Fiet-nam yn 1996 ar gyfer y rhaglen *Plygu Glin i Fiet-nam*, S4C

fy arian yn eu gofal gyda'r rhybudd i beidio â gadael fy stafell. Pan holais pa fath o westy ydoedd, yr ateb a gefais oedd 'military hotel' – disgrifiad cywir gan mai dim ond milwyr o ddynion oedd yn aros yno. Un o uchafbwyntiau'r daith oedd cyfarfod ag An Tho, bardd a benyw enwocaf Fiet-nam, ac yn Hanoi adroddodd wrthyf gyda'r fath serennedd fel y collodd ei thri mab mewn brwydrau yn erbyn gwahanol wledydd: America, Tsieina a Chambodia. Lluniais gerdd ysgafn a dwys am fy nghyfieithydd, Trinh, a ddotiai at y ffaith ei bod yn cael fy nhywys i bob man gan fynnu ein bod yn bwyta yn y mannau gorau a minnau'n talu, wrth gwrs!

Gallaf ei gweld yn gwledda,
hynny, neu'n dantbigo'n ddiolchgar

ar damaid pren, efallai'n datgan
â'i cheg led y pen. 'Dyma'r lle gorau

yn y fan a'r fan yn Fietnam.'
A chofiaf amdanaf yn ddiniwed ofyn:

'Sawl tro y buoch yma'n bwyta?'
Yr un ateb fyddai ganddi, 'Dyma'r tro cynta,'

wrth iddi estyn am fwndel tila'r *dong*.
Hi oedd fy ngwestai. Hi fy nhafod.

Hi yn ganghellor, hefyd fy morwyn.
'Mae'n rhy ddrud i mi fynd i fwytai

heblaw gyda *foreigner* yn talu.'
Ac uwch yr *hoisin* a'r sinsir a'r *Cha Gio*

a holl sawrau'r ddaear ar ei min yn llifo –
câi ambell bwl o chwerthin afiach.

'You foreigners, so funny!'
A gyda fy nhafod yn fy moch

diolchais iddi, wrth ei gwylio
yn myned ati gyda nerth deg ewin

i glirio'r dysglau nes eu bod eto'n ddisglair,
fy mod yn medru ei chadw mewn bwytai

a oedd gymesur â safon ei maethlonder.
A dyna pryd yr adroddodd wrthyf

am y rhyfel, yr un filain ac amdanynt
yn methu â chael reis yn bryd beunyddiol,

dim ond *baguettes*, a'r rheiny'n esgyrn sychion.
Hwythau yn llwgu am berlysiau, eu moethion.

Weddill y daith gyda'i newyn yn fy nghof
– fe wleddais ar ei gweld yn glythu drosof.

('Papurau Reis', *Merch Perygl*)

Dysgais lawer am y wlad wrth deithio am wythnosau lawer yno, a dysgu am y ffordd y llwyddwyd i frwydro gyda salmau a litanïau ar eu tafodau wrth guddio yn y twneli yn Chu Chi.

Yn ystod 2014, cychwynnais ar fywgraffiad o'r llenor a'r prifardd, Eluned Phillips. Bu hanes ei bywyd a'i gwaith yn fy ngogleisio ers degawdau, yn enwedig a hithau yr unig ferch i ennill dwy goron yn yr Eisteddfod Genedlaethol yn ystod yr ugeinfed ganrif. Yr oedd yr holl sïon amdani wedi gwneud i minnau amau ar adegau ai hi oedd awdur ei cherddi ac eto, gwyddwn yn waelodol fod yna rywbeth arbennig am ei phersonoliaeth y tu hwnt i'r chwedleua am gymdeithasu gydag Edith Piaf, Picasso ac artistiaid eraill. Gwyddwn ddigon i wybod iddi ymlonni yng nghwmni artistiaid ac ymroi i'r byd creadigol. Fel merch fy hun, anesmwythwn ynghylch y math o 'anwybyddu' neu grechwen a ddaeth i'w rhan. Rhodd annisgwyl, felly, oedd cael ei holl bapurau a'i chyfansoddiadau wedi eu trosglwyddo imi gan ei nith, heb roi unrhyw bwysau arnaf i wneud dim â hwy. O bori trwyddynt gwelwn, yn wir, ei bod yn fardd o'r iawn ryw ond heb fod o'r iawn ryw yn y cyfnod y cyfansoddai'r gwaith. Doedd dim amdani, felly, ond torchi llewys a llunio cofiant iddi gan gofio iddi ddweud wrth gyfaill un tro, 'Falle ar ôl i fi fynd bydd rhywun yn sgrifennu'r gwir amdana i'. A dyna ddechrau arni yn 2014 gan na welodd neb yn dda i goffáu ei chanmlwyddiant, ar wahân i gyngor cymuned Beulah. Gweithio'n dawel a llunio *Optimist Absoliwt*. Rhoi'r gorau iddi ar adegau oherwydd imi fy nghael fy hun dan deimlad gyda'r geiriau, yn anghrediniol wrth ddarllen sylwadau mileinig amdani gan hwn ac arall neu gwaeth fyth, wrth weld yr hwyl fawr a gâi rhai llai talentog na hi, fel yn yr englyn hwn, 'Sei No Môr':

> Bu holi 'mysg ebolion – y Bala
> Bu hwyl ac amheuon
> A yw stwff y bryddest hon
> O'r un steil â'r hen stalion.
>
> ('Sei No Môr', Beirdd y Pentre Arms, *Englynion Coch*, 1973)

Cofiant. Hunangofiant. Maent rif y gwlith heddiw yn Gymraeg. Yn 1996, gwrthodais wahoddiad i ysgrifennu hunangofiant gan neb llai na Gerallt Lloyd Owen wedi iddo wrando arnaf yn darllen 'Cell Angel' mewn digwyddiad yng Nghricieth. Ond teimlwn yn anniddig. Y fath fyfïaeth fyddai'n angenrheidiol o'm rhan i. Onid oedd yr unig 'myfi' y carwn ei gyfleu ynghlwm wrth fy ngherddi? Er addo iddo wyneb yn wyneb, a heb wybod sut i beidio â'i siomi, wedi imi fynd tua thref dyma anfon llythyr ato'n diolch am y gwahoddiad ond yn dweud fy mod yn gorfod ei wrthod. Yn anffodus, cefais lythyr oddi wrtho cyn imi anfon fy llythyr i yn trafod dyddiad cyhoeddi.

Pan ddaeth y cais i lunio llên-gofiant gyda'r pwyslais ar lenyddiaeth, dyma ailfeddwl. Hynny a theimlo, hwyrach, fod dros ugain mlynedd o ysgrifennu wedi rhoi mwy o weithiau yn yr ydlan. Oni ddylwn roi trefn ar bethau cyn iddynt fynd yn angof gennyf?

Eto, erys dirgelwch y broses o gyfansoddi. Mae'n gwrthryfela yn erbyn gallu rhywun i'w hegluro. Dyna pam y'i gwelid fel yr 'awen', a'r chwa a ddaw dros rywun wrth greu. Oes eisiau 'teimlad', gofynnodd rhywun i mi yn ddiweddar. Oes, atebais, ond mae yna oriau lawer pan nad oes yna deimlad, dim ond y rheidrwydd i fwrw iddi, i ysgrifennu yn barhaus nes y daw rhyw deimlad o rywle. Oddi uchod neu oddi mewn, pwy a ŵyr? Ond daw ton o anghofrwydd dros y sawl sy'n ysgrifennu rhywbeth o bwys, a chaiff ei chario i deyrnas nad oes modd ei deall. Erwau annelwig ydynt, hyd yn oed i'r awdur ei hun. Hwyrach mai gwrthddywediad perffaith yw llên-gofiant oherwydd ymhen hir a hwyr, daw llen ysgafn, o fath arall dros y cyfan.

9
LLOFFA

Wedi blynyddoedd o gyfarwyddo Ysgrifennu Creadigol ym Mhrifysgol Cymru, y Drindod Dewi Sant a chael cadair fel Athro Barddoniaeth ac Ysgrifennu Creadigol, daeth adeg ymneilltuo o fyd academia. Dysgu yn rhan amser o ddewis a wneuthum dros y blynyddoedd o'r wythdegau ymlaen. Ychydig a feddyliais, bryd hynny, fel aelod o staff Adran y Gymraeg, y byddwn yn dychwelyd i'r un sefydliad ond y tro hwn i'r Adran Saesneg gan gynllunio cyrsiau Ysgrifennu Creadigol yn bennaf drwy'r iaith Saesneg. Hynny, er i niferoedd hefyd ddilyn y cwrs gyda mi trwy'r Gymraeg. Gwenaf wrth feddwl i gyfaill, yr awdur o America, Pamela Petro, a ddaeth draw i wneud gradd Meistr yn yr Adran Saesneg yng Ngholeg Prifysgol Dewi Sant yn yr wythdegau, gael ei rhybuddio i gadw draw oddi

Gyda rhai o awduron *Wicked Words*, myfyrwyr MA Ysgrifennu Creadigol Prifysgol Cymru y Drindod Dewi Sant, ar achlysur lansio'r gyfrol

wrthyf gyda'r geiriau, 'Menna Elfyn is a dangerous person'! Roedd hynny pan oeddwn ar staff Adran y Gymraeg ac yn cael fy ngweld fel eithafwr, siŵr o fod. Rhyfedd, felly, imi orffen fy ngyrfa yn yr Adran Saesneg o bob man. Wrth gofio'r stori a glywais pan wnaethom gwrdd yn Efrog Newydd am y tro cyntaf yn 1998, penderfynais enwi detholiad o'm barddoniaeth yn 2011 yn *Merch Perygl.* Heb anghofio geiriau anfarwol Waldo, 'merch perygl yw hithau'!

Bellach, daw awduron amrywiol i ofyn am linell neu ddwy o froliant ar gyfer eu llyfrau ac rwy'n llawenhau o wneud hynny ac yn ymfalchïo gyda hwy yn eu llwyddiannau. Bu'n gyffrous gweld disgyblion, o'r lleiaf i'r hynaf, yn trin geiriau wrth imi drafod dulliau amrywiol o ysgrifennu a chario basgedaid o wrthrychau, yn benglog dafad, pren glaw neu'n froc môr. Gyda'r lleiaf, dychwelwn at eu henwau a'u cael i lunio geiriau sy'n cychwyn â'r un llythyren – fel yn achos bachgen bach a luniodd y llinell anfarwol 'mae Elvis yn yr enfys'.

Mwynheais gynllunio prosiectau addysgol arbrofol mewn ysgolion gyda disgyblion hŷn. Lluniais ddeunyddiau ar gyfer disgyblion is eu cyrhaeddiad gyda'r Sefydliad Cenedlaethol er Ymchwil i Addysg yn y brifysgol yn Abertawe cyn mynd yn awdur llawrydd, gan greu chwe llyfr, yn storïau, cerddi, deialogau a darnau ffeithiol ar gyfer Blynyddoedd 7 ac 8 yn yr ysgolion uwchradd ar themâu penodol a'u treialu.

Gwaith dwys, ond gwaith a fwynheais yn fawr oedd y preswylfeydd awdur yr ymgymerais â hwy mewn gwahanol fannau, o Lyfrgell Dinbych a'r ardal o'i hamgylch i'r Amgueddfa Genedlaethol yng Nghaerdydd. Treuliais gyfnod fel awdur hefyd mewn sawl canolfan a chartref i'r henoed. Gwaith hynod heriol oedd gweithio gyda rhai oedd yn dioddef o afiechyd meddwl yn Ysbyty Bronglais ac yn Ysbyty Glangwili.

* * *

A dyna ddychwelyd at y 'Gair o Brofiad', a'r ffordd y byddai'r genhedlaeth o'n blaenau yn barod i fynegi eu hunain mewn seiat neu gwrdd gweddi. Achos math o seiat yw gweithdy ysgrifennu, er nad oes disgwyl i bawb fod yn llafar. A gall gair o brofiad fod yn ddisgrifiad da o'r broses o roi geiriau ar ddalen. Nid addoli o fath crefyddol mohono ychwaith ond addoli iaith a chyfoeth y natur ddynol a rhoi inni'r gallu i hidlo profiadau trwy eiriau. Annog, a herio, ac ymestyn dealltwriaeth o lenyddiaethau a ieithwleddoedd. Ieith-wledd. A! Cysyniad newydd. Ie, dyna a wneir mewn gweithdy. Cael ieith-wledd a'i dathlu'n ogoneddus.

Ond gan mai llên-gofiant yw hwn, hoffwn derfynu drwy awgrymu rhai o'r ffyrdd y byddaf yn defnyddio'r gweithdai hyn i'm sbarduno fy hun i ysgrifennu ac weithiau i annog eraill sydd yn ei chael yn anodd mynd trwy'r bwlch creadigol.

Wrth fy nesg, Llandysul, 2000

Geirfaon: Dyma agor y drws ar y ffordd y byddaf innau'n gweithio fel awdur. Geiriau newydd. Arferwn ddysgu tri gair newydd bob wythnos ac rwy'n dal i lowcio geiriaduron. Ond byddwn yn annog eraill hefyd i ddarganfod geiriau newydd, eu coleddu a'u cario gyda hwy. Mae gennyf hanner dwsin o hen eiriaduron ar fy silff lyfrau sydd yn cynnwys cyfoeth o eiriau sy'n sawru o odidowgrwydd yr iaith Gymraeg. Fy hoff eiriadur o bell ffordd yw Bodvan, sydd fel Beibl i mi, ac yn hwnnw yr edrychaf gyntaf wrth chwilota am air. Bodfan yw BOD yn y FAN, lle mae geiriau'n ffrydio, fel mêlwlith neu'n wlith o fêl, yn sangnarwy o lachar, gan wneud sŵn fel cawcïod, ac yn flasus ar gig fy nannedd. A sêr aur yw gair imi, nid seren bren. Sylwch fel y llwyddais i wneud ribidirês o eiriau ar wib drwy bori ar hap yn y geiriadur cyfoethog hwn. Ni ellir diystyru geiriaduron eraill, o Salesbury, Gweirydd ap Rhys a Chynddelw, i Eiriadur Llogell W. Richards, i enwi rhai yn unig. Ond poraf yr un mor awchus yng ngeiriadur yr Academi – y 'Bruce' – a geiriadur diweddar Gomer ac yn y llyfrynnau tafodieithol niferus sydd ar gael. Rhoddion ydynt o gyfoeth y Gymraeg, fel *Y Gymraeg yn ei disgleirdeb o gasgliad Thomas Jones yr Almanacwr cyntaf yng Nghymru*, tua 1830.

Yn aml, byddwn yn gofyn i eraill ddod â gair newydd i'r dosbarth a'u cael i gyd i ysgrifennu am y geiriau o ran eu sawr a'u sŵn heb wybod eu hystyr. Gall gair dreiddio i ddyfnderoedd na wyddom eu bod yno. Byddaf weithiau yn treillio am eiriau o ieithoedd eraill ac yn ceisio gweld sut mae eu defnyddio at bwrpas cerdd neu er mwyn hogi'r dychymyg. Dyna ichi air o Ynys yr Iâ, *Tí ma* – nid 'ti yma' Cymraeg mo'i ystyr ond rhywun sydd heb fod yn barod i wario arian nac amser ar unrhyw beth penodol, er y medr ei fforddio. Neu *gurfa*, gair o'r Arabeg i olygu yr holl ddŵr sy'n bosib ei ddal yn eich llaw. Lluniais gerdd wrth ddod ar draws gair Yiddeg – *nebach*, sy'n golygu druan bach yn eu hiaith hwy ond i ni: neb – ach. Neb heb ach, heb fod yn perthyn heblaw yr ach:

nebach yw'r neb – heb ach,
nebach, llai na lleied,
druan bach, medd rhai wrth ganu'n
iach i'r llipryn lleiaf oll.

('Nebach', *Bondo*)

Clustfeinio: A dyna un o arferion eraill yr ysgrifennwr, sef clustnodi sgyrsiau neu sylwadau. Geiriau da yw *clust* a *nodi* er mwyn gwireddu'r weithred o *glustfeinio*. Bûm yn fwy o wrandäwr nag o sgyrsiwr erioed, boed yn llechwraidd ar ben y staer adre yn gwrando ar ymddiddan yn y gegin, neu ar drên neu fws. Cadw oed gyda chlust dda sy'n ddihafal i fardd. A chyfraid yw'r geiriau annisgwyl a leisir mewn conglau, yn gyfrinachau pur neu yn uchel eu cloch i'r byd cyfan orfod eu clywed. Weithiau, try'r glust yn glais.

Dyma gerdd ganfod, a glywais wrth warchod fy mam-yng-nghyfraith yn ystod salwch byr wrth i gyfeilles ymweld â hi. Dyma'r hyn a glywais ac a nodais wrth fwrdd y gegin gan esgus marcio traethodau:

(cerdd ddarganfod wrth warchod y claf)

Yn iach, mae'n dechrau'i sgwrs,
'Meddyliwch,' meddai,
'Cymundeb mla'n a dau ddierth
yn caru ar y galeri,
o'r golwg, wrth gwrs.
Wedodd rhai wedyn.
Meddyliwch – a chithe'n
paratoi'r bara a'r gwin Cymun –
beth petasen nhw wedi'ch
bwrw chi'n farw, ond dyna fe –
lle neis i fynd ontife – mewn capel,
a bydden ni'n barod wedyn i'r angladd! ...

Ie, iechyd, be wnelen ni hebddo?
Byddwch chi'n well 'to'n glou –
er, mae golwg golau leuad arnoch chi.

'Dyna fe, rwy wedi galw nawr.
Ma' rhai'n rhoi e lawr ar bapur,
pwy sy'n galw, pwy sy'n hala
carden, dod â blode.
Ond ma' popeth yn ca'l aros
yn y pen 'da fi, pwy eisie seians?
'Na fe, ddes i'ch gweld chi
A *'na* sy'n bwysig;
ta p'un, own i ddim
yn gwybod beth i ddod,
felly des i â'n hunan, tro hyn.
Cyn i'r Rihyrsals ddechre',
pennau lan a phapur lawr
fydd hi wedyn 'llwch chi fentro.

'Beth arall sy 'da fi i 'weud, cyn bo fi'n mynd?
O ie, aeth Sally miwn am *scraping*
a ma *gangrene* ar goes Bwlchgwynt,
fydd e ddim yn rhedeg marathons yn glou!...

'Wel, cystal i fi ei throi hi,
ma' dou neu dri lle 'da fi alw 'to,
a fydda i'n gweud wrthon nhw, nawr
bo chi'n edrych yn lled dda.

Own i'n meddwl wir, y bydde galw
yn codi eich calon.

'Neis eich gweld yn y gader 'ta beth –
wedi'r cwbwl, ma' pobl yn marw'n y gwely.'

('Ymwelydd', *Murmur*)

Cerddi canfod: Mae codi llinellau cofiadwy o lenyddiaethau neu gan awduron yr ydych yn eu hedmygu yn ffordd dda o geisio creu naratif newydd. Roedd 'found poetry' yn fath o farddoniaeth a ddaeth i fri yn America ddegawdau yn ôl, er y gellid dadlau mai 'canfod' cerddi a wnawn beth bynnag wrth i rai nodi graffiti neu sylwadau difyr. Pan ofynnwyd imi ddarllen cerdd am y celfyddydau i gyfarfod blynyddol Cyngor y Celfyddydau rai blynyddoedd yn ôl, lluniais gerdd o ddyfyniadau gan wahanol awduron gan eu cydnabod wedi'r darlleniad.

Geiriau fel cesig eira: Bydd gair weithiau yn troi'n gerdd o oedi arno ac o gasglu gwahanol ystyron. Dyna ichi'r gair 'gwlithen'. Gofynnodd rhywun i mi un tro beth oedd ystyr 'gwlithen' gan i rywun ddweud mai math o falwoden oedd. Yna, o drafod gyda chyfaill arall, dywedodd hwnnw mai gwlithen iddo ef oedd cawod ysgafn o law. A meddyliais innau fel y gallai un dafn o wlith hefyd fod yn wlithen – sef 'dew' yn Saesneg. Meddyliais hefyd am y wlithen o dan y llygad sy'n gallu bod yn boenus. A gyda'r holl ystyriaethau hyn dyna ddechrau meddwl am 'Dduw' a'r awydd sydd gennym i'w weld, er mor amhosib yw hynny. A dyma'r casgliad o ddelweddau'n dod ynghyd wrth ymdrechu i ddiriaethu Duw a'i ailenwi. Hynny am y cefais y gair 'Duw' yn un anodd i'w ddirnad. Yn fy llyfr nodiadau y mis hwnnw, roedd dyfyniad a nodais, sef 'God is just a name for my desire', geiriau'r diwinydd Rubem Alves. A dyma ddechrau meddwl fel y carwn roi llysenwau newydd i Dduw fyddai'n ei bortreadu o'r newydd. Onid dyna yw nod bardd, sef dod o hyd i ryw sythwelediad newydd trwy eiriau:

(Dewa)

Dduw, bûm yn chwilio llysenwau iti
fydde'n daniad ohonot.
Yn y bore – gwlithen wyt
sy'n cronni glas llygad. Clipad
amrant. Yna nid wyt. Dychweli
i'r anweledig dlodi roist iti
dy hun. Gwlithen fesul gwlithen
anwedda pan yw'r gwallau
yn codi'n gread llawn glosau.

Gwlithen arall wyt yn y cyfnos,
llysnafedd arian yn llwch gwyn
gan adael llwybr ara deg
i ymrafael â sangiadau dyn.
Y byd yw dy gragen
a'th ollyngodd i'r llaid –
eto, ariangylchu a wnei

cyn dychwel i'r lleithder,
lle mae'r gwair
yn dal dy ddagrau gyda'r gwlydd.

('Llysenwau', *Perfect Blemish/ Perffaith Nam*)

Er i'r delweddau niferus ymgasglu yn fy meddwl, rhaid oedd i'r geiriau greu ystyr newydd am ein hanallu i wneud dim ond profi ei bresenoldeb a'i absenoldeb, yn ymgilio ac eto yno ar yr un pryd. Os credwn Ei b/fod.

Cwestiynau: Does dim yn hogi'r meddwl fel cwestiynau a dyna pam y ceir y fath gyfoeth drwyddynt. Deallodd Waldo hyn gyda'i gerdd anfarwol 'Pa beth yw dyn?'. Gellid dweud i'r Salmydd ei ddeall cyn hynny. Sonnir yn aml am ddarganfod 'llais', a pha ffordd well o'i wneud na thrwy gwestiwn a chwestiynu yn null *koan* Zen. O wneud hyn, rydym yn gallu parhau i fod yn blentyn ond gyda phrofiad oedolyn (Pablo Neruda). Lluniodd Neruda gyfrol gyfan o gwestiynau fisoedd cyn iddo farw ac y maent yn sefyll fel cerddi cynnil. Drwy ymbalfalu am wybod a holi y down at ffordd arall o wybod. Y chwedl fwyaf diddorol yw honno gan y meistr Zen, Mumon, sy'n dadlau gydag arall ynghylch y gwrthrych sydd yn symud: ai y gwynt, baner neu'r meddwl? Dyma rai enghreifftiau o'm cwestiynu innau:

Pa draeth sy'n annherfynol
yn nrych swnd y galon sy'n ei suddo?

Pe bawn i gerdded
holl draethau'r byd yn droednoeth,
a ddown i ddeall rhygnau'r traeth
mor glir
â'r llanw sy'n farciau ymestyn-wedi'r-geni
ar hyd fy nghnawd?

Os mai môr o gân yw Cymru,
ai dyna pam mae'r tonnau
fel telynau â'u tannau
yn tynnu alaw'r llanw?

Ai cerdd-dantwyr yw nofwyr?...

A sarnodd y Goruchaf
de oer dros dywod mêl-ar-dost
wrth frecwasta ar ei phen ei Hun?...

Ai ffrog briodas yw'r môr,
yn wyn, yn las,
dros fis mêl o wely?
Ond
pam felly
yr ysgar ei hun bob nos dan hiraeth?…

Wrth ymyl y don
pwy yw corn carw'r môr
i gynnig danteithion gleision?

('Holiadur y Môr', *Perfect Blemish/ Perffaith Nam*)

Dyfyniadau: Ers blynyddoedd lawer, rwyf wedi storio dyfyniadau amrywiol rhag ofn. Rhag ofn beth, tybed? Rhag ofn y caf eu defnyddio fel gwisg isaf o dan gerdd hardd. Defnyddiais lu o ddywediadau yn fy nghyfrol ddiweddaraf, *Bondo*, fel 'Truths are told, sometimes late' gan John Berger. Mae ambell ddyfyniad yn ddigon i wangalonni rhywun ynghylch y natur ddynol, a chofiaf Cerys Matthews yn dweud wrth gynulleidfa yn y Gelli, wrth lansio *Cusan Dyn Dall* gyda mi, iddi ddarllen y canlynol ganol nos ac yn gorfodi pawb arall yn y stafell i wrando arni yn ei darllen. Lluniais innau'r gerdd wedi imi ddarllen hanes Jean Améry yn y gwersylloedd carcharorion yn Auschwitz a mannau eraill. Dyma'r gerdd fwyaf iasoer imi ei hysgrifennu erioed, ac ni chredaf y byddwn wedi ei llunio heb y dyfyniad hwn sy'n epigraff i'r gerdd wrth imi ddychmygu llais un o'r Natsïaid:

There was a conversation in the camp about an SS man who had slit open a prisoner's belly and filled it with sand

Jean Améry

Ar Dduw 'r oedd y bai
am roi inni ddychymyg.
Felly, un dydd i ladd amser

dyma fwrw coelbren
fflach ar fflach a fi enillodd.
'Gwan dy gylla,' medde'r gweddill.

Ond dyma fwrw ati o ddifri;
codi plwc, a gyda thwca
mewn llaw, un agen oedd eisie.

A dyma'i berfedd yn llysnafu.
Môr Coch ohono'n drewi
a doedd dim amdani

ond rhofio gro mân i'w lenwi.
Banllefau o chwerthin erbyn hyn.
Wedodd e'r un gair. Cau llygaid

a rhyw fwmial gweddi.
Sbŵci wir. Sbies i wedyn
rhag ofn i'w enaid lamu.

Heb gelwydd. 'Sdim cywilydd.
Trecha treisied. A synnech chi
fel y gall un cnawd-agen,
fod mor rhwydd â thorri cneuen.

('Rhwyg', *Perfect Blemish/ Perffaith Nam*)

Wedi imi ddarllen y gerdd hon ym Malta, dyma ddyn yn codi ar ei draed ac yn dechrau fy ngheryddu am ysgrifennu'r fath gerdd gelwyddog am y Natsïaid. Cyn imi allu ei ateb, roedd un neu ddau o'r gynulleidfa wedi mynd i'r afael â'r dyn gan ddadlau yn chwyrn ag ef. Ni wyddwn yn iawn beth oedd yn digwydd gan mai ym Malteg yr oeddynt yn siarad. Ond synhwyrais y dicter ac ar ôl i un neu ddau weiddi arno, dyma'r dyn yn cerdded allan, a bytheirio o dan ei anadl. Deuthum i wybod wedyn ei fod yn adnabyddus fel cefnogwr i Hitler. Dyna brofi y gall barddoniaeth barhau i aflonyddu. Yn hollol ddiniwed, ni feddyliais fod y fath gefnogwyr yn bodoli tan y noson honno, yn 2002.

Llyfr lloffion/effemera: Cadwaf lyfrau lloffion, toriadau o adroddiadau yn y newyddion a lluniau diddorol ar bob mathau o bynciau y byddaf hwyrach, rywbryd, am ysgrifennu amdanynt. Heddiw, torrais adroddiad am allu cranc o Asia i wneud dawns i ddathlu ei lwyddiant i wneud i granc arall ffoi. Beth a wnaf â'r fath wybodaeth? Wn i ddim, ond hwyrach y daw ryw ddydd yn ddelwedd mewn cerdd neu ddrama. Daeth 'Cath i Gythraul', cerdd ganfod o fath arall, wrth ddarllen adroddiad papur newydd yn America am Ada Berk yn cael ei dal yn goryrru a hithau'n 93 mlwydd oed. Roedd clywed iddi gael cosb yn y llys i fynd â bwyd-ar-glud i'r henoed yn ddameg ry ddigrif i'w cholli; yn enwedig yr eironi o wthio olwynion arafach. Dyma'r pennill cyntaf a'r olaf:

> Fe'i ganwyd i ganrif lle roedd pwyll
> yn gwilsyn ger cannwyll;
> cynfyd, lle roedd cerdded
> tu ôl i aradr, yn sythweled ...
>
> ... Ac yn dâl am yrru mae Ada chwim
> yn gwneud gwaith cymdeithasol, am ddim.
> A'r olwynion araf yn mynd i bobman,
> yn gosb am fod yn iau na'i hoedran.
>
> ('Cath i Gythraul', *Perfect Blemish/ Perffaith Nam*)

Llythyru a llythyrau: Hiraethaf, weithiau, am y math o lythyru a fu ac a wnawn unwaith ac am y llythyrau a dderbyniwn yn ôl. Dylwn fod wedi eu cadw'n ofalus ond nid oeddwn yn eu llawn werthfawrogi ar y pryd. Darllenwn lythyrau fy mam ar wib cyn iddynt fynd i ddifancoll. I ble, nis gwn. Ond mae'r broses o lythyru yn un dda i egin awdur a byddaf weithiau'n annog rhai i ysgrifennu llythyr at rywun sydd wedi gwneud cam â hwy, rhywun y byddent yn caru ymgysylltu ag ef/hi unwaith eto gan nodi'r cam hwnnw, mewn gwaed oer, ac mewn ffordd gyfewin. Weithiau, byddaf yn eu cymell i barhau'r ymarferiad, gan ddychmygu derbyniwr y llythyr yn ateb y gŵyn, yn rasol neu fel arall. Ffordd dda o ymarfer ysgrifennu ydyw a gwn am gyfaill imi, nofelydd Saesneg enwog, sydd bob amser yn ysgrifennu at ei gymeriadau fel ffordd o ddod i'w hadnabod yn well. Perl o lyfr yw cyfrol Rilke, *Letters to a Young Poet*, sydd yn ateb llythyrau ato gan egin fardd wrth i hwnnw ddymuno cael cyfarwyddyd ganddo ynghylch sut i fod yn fardd. Mae atebion Rilke yn ddiflewyn-ar-dafod ac yn dior i'r bardd ifanc ymhel â'r fath gelfyddyd oni bai ei fod yn hollol o ddifri.

Ailadrodd gair: dewis un gair i gychwyn pob llinell gan greu rhythmau soniarus. O amlhau llinellau daw rhywun o hyd i ryw linell sy'n haeddu ei chadw. Fel y Salmau neu'r Gwynfydau bydd ysgrifennu ar un gair fel *anaphora* yn arwain llenor at fyrdd o syniadau ac yn ffordd o ddod o hyd i bwnc na wyddai ei fod yn corddi yno. Wrth ddewis un gair a'i droi tu chwith allan nes gwasgu'r daioni eithaf ohono, ceir effaith trawiadol. Geiriau syml sy'n gweithio orau fel 'Achos', 'Bod', 'Carwn', 'Pe byddai', 'Gan fod', neu 'Er'. Lluniais gyfrol o gerddi, ar gyfer dysgwyr yn bennaf, gyda'r teitl *Er Dy Fod* gan y ffolwn ar y geiriau syml hyn yn blentyn wrth ganu'r emyn 'Er dy fod yn frenin'. Wrth ysgrifennu cerdd ar gyfer priodas un o'r teulu, glynais at y gair 'er' fel man cychwyn nes iddo ddwyn ffrwyth yn 'Salm o Gariad':

Er i'r haul yn yr eangderau – lasoeri,
Er i rewfynyddoedd yr Arctig ddadebru,
Er i bysgod bychain fynd yn eu cil,
Er i adar o'r unlliw chwilio am encil;
Er i'r gwannaf o dywysennau golli eu lliw,
Er i lyn a llannerch ddior pob dilyw …
('Salm o Gariad', heb ei chyhoeddi)

Erbyn imi redeg y llinellau gydag 'er' yn fan cychwyn iddynt, roedd modd i'r gerdd godi a chyfleu yn union yr hyn yr oeddwn am ei fynegi. Cloi, felly, gyda 'Boed gwefrau lu ar weirglodd, rif y gwlith/ Ond heddiw, dathlu wnawn, gan dderbyn pob bendith'.

Dyddiadura: Fel dyddiadurwr rhonc, mae cadw dyddlyfr ers 1968 yn ffordd o sicrhau na ddylai'r un dydd derfynu heb gael hyd i ryw gyffro newydd, boed yn air, ffaith neu sylw diddorol. Weithiau bydd ambell un o'r rhain yn *genesis* cerdd newydd. Dyma enghraifft o ddyddiadur 2016 pan oeddwn yn teithio adre o Boston a chael fy hun yn eistedd wrth ymyl y lifar, sedd sydd yn un bwysig gan fod y sawl sy'n eistedd yno yn gorfod bod yn barod i agor drws i ryddhau y teithwyr, pe byddai yna berygl. Dyma'n union fel y nodais y digwyddiad yn nyddiadur 2016 heb unrhyw ymgais i fod yn llenyddol:

Dydd Llun, Mehefin 20fed
Cael sedd 'exit'. A'r tro hwn rhaid oedd ateb cwestiwn gan y ferch oedd yn gweini: 'What is your command?' 'Sorry,' atebais. Edrych yn syn arni cyn ateb, 'Is this some sort of test?' 'You need to know your command,' meddai eto. Ac wrth lwc, wrth ei gweld yn edrych ar y lifar coch, dwedes y dylwn fod yn gallu tynnu'r lifar i lawr. 'That is correct,' meddai wedyn. Dywedodd dyn wrth fy ymyl ei fod yn falch nad oedd e wedi gorfod ateb y cwestiwn. Deall yn iawn.

Pan yw pobl yn flinedig, yr unig beth ar eu meddwl yw eistedd yn ôl, a chysgu. Falch i lanio'n iawn, heb dynnu yr un lifar coch ond y gair 'exit' yn un da wrth feddwl am 'Brexit'.

Methu â help meddwl am yr holl bobl yna oedd yn hedfan o Baris i'r Aifft ar awyren a blymiodd i'w diwedd a'r darnau o bethau sarn yn y môr, seddau, bag pethau i'r babi, anrhegion a brynwyd ... a'r daearegwr o Gymru ... a'r lifar coch hwnnw na chafwyd yr un cyfle i'w dynnu.

Wedi myfyrio ynghylch y gair 'exit' gyda 'Brexit' ar dafod leferydd pobl, dyma gofio'r profiad o fod yn blentyn yn mynd i'r sinema ym Mhontardawe a gweld rhai pobl yn mynd trwy ddrws ochr gyda'r gair 'exit' uwch ei ben. Cofio meddwl i ble yr oeddynt wedi mynd gan na ddeuent yn ôl trwy'r drws. Dyma'r gerdd 'Allanfa' yn cyniwair ynof a minnau'n ei chwblhau flwyddyn wedi'r daith honno o'r Amerig. Rhan yn unig yw'r digwyddiad yn y gerdd hon:

Yn yr entrychion, Exit.
Drws cau ein ffawd, gwregys
amdanaf. Ond pa fodd y gallaf
arwain llwyth i waredigaeth?
'Rhaid bod yn heini,' meddai –
Duw a'n gwaredo. Gweddi unsill.
Fy nrych yw'r cymylau. A myfi?
Achubydd annisgwyl i daith
annarogan. Nid ffilm och a gwae mohoni.

Rhyngof a'r porth dirgelaidd
mae lifar coch yn ddolen ddall,
anhunedd yw sgript pob awyren.

Tystysgrif X i arweinydd y troad
allan, a chyfyng mewn cyfyng
gyngor, a'm gwregys yn fregus
oddi fry. Beth pe bai oglau perygl?

('Allanfa', *Bondo*)

Ysgrifa: O bob llenddull, yr ysgrif yw'r un sy'n fy nghyffroi ac yn ymestyn fy nychymyg fwyaf. Darllenaf yn helaeth gan deimlo elfen o dristwch oherwydd dirywiad yn y gallu i fynegi syniadau a dadlau dros achosion. Tristáu hefyd o weld papurau newyddion yn wynebu tranc yn yr oes pan yw'r cyfryngau cymdeithasol yn twpeiddio newyddion a thestunau. Bu'r ysgrif yn rhan o'm cynhysgaeth am dair blynedd ar hugain wrth imi ysgrifennu colofn bythefnosol i'r *Western Mail*, ar bynciau amrywiol. Mae'r gallu i fynegi ar ddu a gwyn deimladau neu syniadau wedi bod yn falm i'r enaid. Weithiau byddwn yn arthio ynghylch ambell bwnc fel gwallgofrwydd rhyfel Irac, dro arall gallwn wylo gydag ambell sefyllfa fel tynged plant yn Aleppo. Cydymdeimlo hefyd gyda cholled mam a thad Madeleine McCann. Bûm yn dyst. Bûm yn angerddol am yr hyn a sgrifennwn. Bûm yn eirwir ac yn anghywir fy marn yn aml; bûm ddeallus ac anneallus. Bûm yn driw ar y pryd i'r hyn a deimlwn. Gyda chilwg yn ôl hwyrach y byddai fy marn yn un wahanol. Bûm dros dro yn gennad. Rhywbeth dros dro yw bywyd papurau newyddion. A beth yw'r ots am hynny? Ofnaf fy mod fel llawer o bobl yn llosgi fy ngholofn ddyddiau wedi iddi ymddangos yn ystod misoedd y gaeaf. Wedi'r cyfan, mae ansawdd papur y *Western Mail* yn y grât yn sail ardderchog i'r boncyffion orwedd arni wrth imi gynnau tân yn y lolfa. Ffenics neu bynciau llosg ein dydd yn llosgi'n braf.

Deunydd newyddiadurol yw cynnwys y rhain oll, ac eto nid newyddiadurwr mohonof gan na allaf fod yn ddiduedd. Serch hynny, caraf ysgrifa am ei fod yn galluogi rhywun i brifio fel person wrth ystyried pynciau amrywiol. Yn fwy na dim, rhydd ganiatâd imi newid fy meddwl am wahanol bynciau a sefyllfaoedd. Weithiau, caiff colofn ei llunio yn sydyn, ar ddechrau'r dydd, a bryd arall bydd testun yn fy newis innau fel cyfryngydd iddo. Yn aml, daw ambell ddarllenydd ataf gan nodi iddo ddarllen fy ngholofn a bryd arall, caf lythyr yn fy ngheryddu am eu bod yn anghytuno â mi. Gwerthfawrogaf bob ymateb er bod canmoliaeth yn fwy dymunol, wrth gwrs, ond erbyn hyn, rwyf wedi magu croen eliffant.

Colofnau i'r *Western Mail*

10 Hydref 2012: Tristwch dros deulu, cymuned a chenedl

Dros y Sul, gwelwyd torf o 1,000 o bobl yn cerdded at yr eglwys ym Machynlleth ac at wasanaeth yno. Un enw, un pwnc fu ar wefusau pawb yn ystod yr wythnos a aeth heibio.

Gwelwyd dynion hen ac ifanc o dan deimlad, yn methu â chwblhau eu brawddegau wrth feddwl am yr amhosib. Y gallai'r fath ddiflaniad fod yn un ysgeler. Wedi'r gobaith a'r ffydd y byddai diweddglo da – yr un datganiad sobreiddiol yna, nad oedd rhagor y medrent ei wneud. Ewch adre. Diolch. Geiriau o gysur i griw nad oedd am glywed y geiriau hynny. Bod eu gwaith ar ben.

Bob nos ers diwedd y '60au rwy wedi cadw dyddiadur dalen y dydd. Dw i ddim yn cofio'n wir teimlo'r fath ddiflastod o'i lenwi ag a deimlais nos Iau a'r nos Wener diwethaf. Wrth gwrs, bu galaru personol, yn deulu agos, yn ffrindiau annwyl, ambell gŵyn a chweryl yn cael ei lle haeddiannol. Ond nid y teimlad hwnnw a deimlais y tro hwn – roedd ynddo rywbeth na ellid ei ddiffinio rywsut. Yn dristwch dros deulu, o ie, ond tristwch cymuned, a thristwch cenedl gyfan hefyd. Am ddyddiau, teimlai'r genedl yn deulu a Machynlleth yn filltir sgwâr i ni i gyd.

A'r hyn sy'n hynod yw bod ambell ddigwyddiad mor erchyll â hyn yn medru ein gyrru at yr unig le sy'n bosib trosglwyddo'r gofid hwnnw, sef i fan addoli. O'r caeau a'r torlennydd, y strydoedd a'r mannau gweigion, y mae yna fan o hyd sydd yn hyfryd a "lle gall credadun gwan, gael nerth i fyw". Dywedaf hyn fel un sydd yn aelod digon llipa o gapel. Ond, a dyma'r ond, fel y dywedodd Richard Holloway yn ei hunangofiant *Leaving Alexandria; a Memoir of Faith and Doubt* o Wasg Canongate a gyhoeddwyd yn gynharach eleni: "I don't believe in religion, but I want it around: weakened, bruised and bemused, less sure of itself and purged with everything, except the miracle of pity".

Gwyrth tosturi. Dyna rym nerthol i chi allu credu o hyd ynddo. Er iddo adael yr eglwys a'r esgobaeth, daliai i ddymuno cael crefydd o'i amgylch. A dyna leisio cri y mwyafrif ohonom, greda i. Beth bynnag oedd barn neu gred y rhan fwyaf o bobl Machynlleth a'r ardal, roedd cael rhwydd fynediad i eglwys i gynnau cannwyll, i estyn gweddi dawel, neu ymuno mewn gwasanaeth cyhoeddus yn weithred ysbrydol.

Gan y bu'n ddiwrnod cenedlaethol barddoniaeth ddydd Iau diwethaf, bu llinell ar fy meddwl yn hir, sef 'Unfriendly, friendly universe' gan Edwin Muir. Mae'r gwrthgyferbyniad yn y tri gair yna yn ysgytwol, onid yw, ac mae'n hawdd wrth wrando ar y newyddion i ganolbwyntio'n gyfan gwbl ar yr hyn sy'n anghyfeillgar amdano heb gofio bod 'friendly' yn ennill y gair olaf o hyd.

Yn fy nghyfrol newydd *Murmur* o Wasg Bloodaxe, mae'r gerdd 'Murmur' yn dechrau fel hyn:

Wedi lansiad *Murmur* ym Machynlleth, Hydref 2012

Sut mae byw yn drugarog
yn y byd hwn?
Dyna'r cwest a'r cwestiwn.

Sut mae cerdded yn ddistaw
heb waedd yn y gwyll
na'r un cysgod erchyll

A throedio'r byd fel pe bai
baban yn cysgu yn y stafell drws nesa'
fel y rhown y byd rhag iddo ddeffro?

Murmur bendithion
o gylch y muriau
a gwres serch yn eu seiliau.

Bydd y cwest a'r cwestiwn yn parhau wrth gwrs ond bydd synnwyr o 'wyrth tosturi' hefyd wedi ei wireddu gan ardal a chenedl gyfan yn ochr y fath 'gysgod erchyll'. A Llyfr Gobaith Machynlleth yn ddalennau newydd i'n galluogi i fyw yn drugarog.

19 Medi 2011: Atalnodau mewn maen

Mapiau'r wybren oedd y ddau Dŵr enfawr i mi. Pan fyddwn yn camu i lawr i'r ardal honno yn Efrog Newydd sydd heb system grid, edrych i'r entrych oedd orau.

I ddieithryn a dinesydd fel ei gilydd, hwy oedd y mapiau. Trwyddyn nhw roedden ni'n gwybod ble roedd ble o sefyll yn Stryd y Gamlas. Ar wahân i niwl neu law, fe allech eu gweld yn glir. A theimlo'n saff ar eich siwrne. Cerrig terfyn. Atalnodau mewn maen. Meini, maen nhw'n mynd a dod neu'n goroesi.

Fel eraill, gweithio ar sgrîn fach own i, yn trosi 'Dynoliaeth' T. Gwynn Jones fel mae'n digwydd, cerdd sydd yn sôn am ddinistr fawr. Dyna alwad ffôn oddi wrth fy mab. Pethau fel yna a wneir pan fo'r byd ar slent. Yr angen i gysylltu sy'n hanfodol.

Mae bod yn ddynol yn golygu ein bod ni i gyd wedi dychmygu gwewyr y bobl hynny a geisiodd gysylltu ar ffonau. Munudau erchyll olaf y teithwyr. Mae bod yn ddynol yn golygu rhoi ein hunain yn eu hesgidiau a dychmygu yr hyn sydd y tu hwnt i'r dychymyg.

Fel eraill, mae gennyf ffrindiau yn Efrog Newydd a thrwy ebost cyn diwedd yr wythnos cefais wybod bod pob un o'm cydnabod yn saff. Ond beth am fy ffrindiau o Irac yn y brifddinas? Beth, tybed, yw eu hanes o gofio iddyn nhw ofni mentro allan am wythnosau ar ôl rhyfel y Gwlff? Beth am yr artist y gwyddwn iddi gael preswyliad o dri mis ar dop y ganolfan, gan baentio yr iselfannau oddi tani?

Heddi, rydym oll yn yr iselfannau. Beth sydd ar ein gorwel? Yn sicr, mae map y byd wedi newid a phawb ohonom yn gorfod holi i ble aeth map yr wybren. A oedd ein mapiau ni wedi eu cymysgu cyn y diwrnod hwnnw?

I'r rheiny ohonom sydd wedi dilyn y dymchweliadau ym Mhalesteina, rhaid dweud eto a'i ddweud yn groch, y bydd yn rhaid dod o hyd i ryw fath o gytundeb yn y Dwyrain Canol cyn y gwelwn fyd mwy diogel. Meddyliwch am y tanciau a'r milwyr yn Israel yn camu i mewn i ardaloedd Palesteinaidd y diwrnod y digwyddodd y drasiedi yn Efrog Newydd, fel petasen nhw'n gwybod na fyddai llygaid y byd arnyn nhw wrth iddynt ddymchwel adeiladau, a lladd pobl ddiniwed.

Sawl tŵr bach a ddymchwelwyd yno heb i ni glipo llygad? Sawl Tryweryn sych a ddigwyddodd heb i'r gorllewin na phobl gyffredin America wybod dim amdano? Doedd gan yr adeiladau hynny ddim grym a dyhead fel y rhai yn America, ond i bobloedd yno sydd wedi arfer byw yn gytûn, roedden nhw'n gartrefi, yn llawn mor ystyrlon â'r ddau Efaill yn Efrog Newydd.

* * *

Dywedir i deuluoedd yr ymosodwyr symud yn ôl i'r Dwyrain Canol ychydig cyn yr ymosodiadau, gyda dillad a dodrefn newydd. Mae hynny, er yn wrthun i ni, hefyd yn dangos y ddau fyd sydd yn mynd i gwffio â'i gilydd yn y misoedd sydd i ddod.

Bydd eisie llunio mapiau newydd sbon os ydym i rannu'r un wybren fel un ddynoliaeth.

9 Chwefror 2000: Oes ddu ynteu oes aur?

Rown i'n teimlo'n euog. Fe ddylem i gyd deimlo felly. Darllen wnes i nad oedd y glowyr a ddioddefodd yn sgil gweithio dan ddaear wedi derbyn ceiniog o iawndal hyd yn hyn.

Hynny, flynyddoedd ar ôl y datganiad y bydden nhw'n cael iawndal am eu hafiechydon.

Mae hynny yn warth cenedl. Yn sicr, mae e'n warth fod glowyr yn marw heb weld ceiniog o'r arian hwnnw. Pam tybed? Maen nhw bellach yn ddi-rym. Yn hen, yn fusgrell ac yn sâl dros ben.

Mae gen i deimlad cymysg ynghylch y pyllau glo. Oherwydd damwain dan ddaear, colles gyfle i adnabod un dad-cu o ochr fy mam. Treuliais fy arddegau yn gwylio llwyth o lo compo yn cyrraedd ein tŷ ni ar ôl i Mam-gu symud i fyw atom.

Does dim dadlau ynglŷn ag effaith y garreg lo ar galonnau cenedlaethau. Mae gen i gnepyn o lo caled yn fy nghabinet tsieina, er mwyn cofio. Oherwydd gallwch fod yn siŵr y daw cenhedlaeth ar ein holau na fyddant yn deall na gwybod dim am lo oni bai fod glofa'r Tŵr yn ehangu. Rhan o eironi'r oes yw teimlo'n falch ac yn drist i'r diwydiant edwino. Bellach, aiff pobl i lawr y Pwll Mawr i weld yr oes a fu ... oes ddu ynteu oes aur?

Ond dylem dristáu fod cymaint o ddiwylliant hefyd wedi ei gladdu unwaith ac am byth. Diolch i waith cloddio Lynn Davies, y mae gennym drysorfa o lysenwau ar wahanol lowyr. Dyma flasu rhai ohonynt: Twm Bara Menyn, Twm

Weda i Ddim, Dynamo Dan, Tom Dead Slow, John Bwyd Ffowls. A beth am Joe Wir Dduw, Twm Cwrcyn Carcus a Dic Bol Haearn. A'r anfarwol Twm Coese Wied.

Ddylwn i stopio yn y fan hon, ond mae'n anodd stopio pan yw rhywun yn credu fod cenhedlaeth wedi cael ei hanwybyddu unwaith eto gan addewid y llywodraeth.

Er i mi enwi dynion, yr oedd ymdopi'r gwragedd â'r math yna o fywyd yn hynod ac yn ffordd o fyw hollol anrhamantus. Uwchben y ddaear, mae dwylo'r gweithwyr heddiw yn lân. Hyd yn oed os yw eu meddyliau yn llai na daionus.

Yn y Cynulliad yr wythnos hon fe ddylem weld rhan newydd mewn senario hynod o ddiddorol. 'Real life drama' gyda'r prif gymeriad yn cael ei chwarae gan Alun Michael.

Dwn i ddim a yw pethau'n poethi ynghylch y bleidlais o ddiffyg hyder yn y Cynulliad ddiwedd yr wythnos neu beidio, ond mae'n siŵr fod iechyd y rhan fwyaf o'r gwleidyddion yn well o lawer na iechyd y glowyr a fu dan ddaear. Er y gellid dadlau mai dan ddaear arall yw'r Cynulliad, ac oes, y mae angen rhyw lamp ar ben talcen pob un gwleidydd, ddwedwn i. Ond beth fydd cyflwr iechyd y Llywodraeth yn San Steffan ar ôl hyn tybed? Ydi, mae'n amser cyffrous i fod uwchlaw'r ddaear hyd yn oed os ydym wedi hen arfer beirniadu ein gwleidyddion am fyw yn y cymyle.

20 Awst 2008: Olympiad answyddogol ar ras o gwmpas y byd

Mae yna Olympiaid swyddogol ac answyddogol. Rhai gyda medalau aur, arian neu bres, a rhai â medalau o fath gwahanol. Rwy wedi bod yn dilyn y Gemau ers dychwelyd o rannau o Ewrob, gan lawenhau a chydymdeimlo â'r rheiny sy'n ennill a cholli.

Tybed faint o bobl sydd, fel fi, yn difaru peidio â gwneud mwy o gemau pan oeddem yn yr ysgol? Un gamp y carwn ei choncro cyn mynd yn rhy hen yw dysgu reidio beic!

Ta beth, mae yna Olympiaid ar wahân i'r rhai hynny sydd yn cystadlu yn y Gemau. Gyrru oeddwn i ddydd Gwener diwethaf a phasio merch yn rhedeg a thynnu cert melyn ar ei hôl ym Mrynhoffnant.

'Rosie Swale,' meddwn wrth inni droi am ffordd Llandysul.

'Ti eisie stopio?' meddai gyrrwr y car wrthyf.

'Na, beth ddweda i wrthi? Mae'n rhedeg ta beth.'

Es adre'n difaru. Dylwn fod wedi torri gair â hi neu o leia gynnig gwneud rhyw gymwynas drosti. Rhoi rhywbeth o 'masged siopa hyd yn oed. Wel, i wneud yn iawn am fy methiant dyma bwt am y fenyw ryfeddol hon. Rwy'n cofio darllen ei hanes flynyddoedd yn ôl yn hwylio o gwmpas y byd ar ei phen ei hun, a dyma hi nawr ar fin cwblhau taith ar draws y byd eto, gan dynnu ei chert melyn, Icebird (ei gwely) ar ei hôl. Yn gwneud hyn oll er mwyn tynnu sylw'r byd at elusen ar ôl marwolaeth ei gŵr o gancr.

Hanner rhedeg oedd hi pan wnaethom ei phasio. Mae'n anodd dychmygu iddi bron iawn â chyrraedd ei hanner cant oed cyn rhedeg gynta'. A dyma hi nawr, bum mlynedd ar ôl cychwyn mas o'i chartref yn Ninbych-y-pysgod yn dynesu adref. Gobeithia gyrraedd ddiwedd Awst ac rwy'n siŵr y caiff groeso brwd gan drigolion y dre.

Mae ei sylwadau hefyd yn twymo'r galon wrth iddi haeru mai menyw gyffredin yw hi, ac athletwraig go gyffredin hefyd, ond un sy'n ceisio 'dangos i bobl y gallan nhw wneud pethau y bydden nhw yn eu hystyried yn amhosib'.

'Dwn i ddim a fydde'r rhan fwyaf ohonom yn ystyried y

medrem wneud pethau mor eithafol â rhedeg ar draws Ewrob, Rwsia, Canada, yr Unol Daleithiau a throsodd i Ynys yr Iâ. Ond mae'n fenyw ryfeddol – a go brin y byddem yn ystyried hyn fel gweithgaredd cyffredin i fam-gu yn ei chwedegau.

Rhaid fydd aros am sbel eto cyn cael ei hanes yn llawn. Dywed ar ei gwefan iddi gael ei bygwth gan ddyn gyda bwyell yng nghoedwigoedd Siberia, iddi bron â chael damwain gyda bws yn Rwsia, ac iddi ddod wyneb yn wyneb ag eirth a bleiddiaid. Ar ben hynny, ar yr olwg ysgafn, cafodd dros ddeg ar hugain o gynigion priodas!

O'i chymharu â'i thaith hi, digon difywyd oedd fy nheithiau i trwy Wlad Belg, yr Iseldiroedd a rhannau o Ffrainc yr wythnos ddiwethaf. Roeddwn yn teimlo'n falch â mi fy hun am beidio â gadael ôl traed carbon drwy fynd ar y trên. Hwyrach mai'r trên yw'r rhamant newydd yn yr unfed ganrif ar hugain i'r rheiny ohonom sydd wedi cael llond bol ar gael ein gwasgu i seddau cyfyng ar awyrennau neu fod mewn tagfeydd ar draffyrdd.

Mae dull Rosie hefyd yn opsiwn i'r sawl sydd am weld y byd ar ddwy droed, rhyw ddull tebyg i 'cyfod dy wely a rhodia'. O'm rhan fy hun, mi wna i sticio at ddysgu sut mae reidio beic.

20 Medi 2006: Y pethau blewog yn codi cwestiynau digon moesol

O dro i dro, bydd anifeiliaid yn cipio'r newyddion. Digwydd hynny weithiau pan yw'r byd yn ansicr o'i droedle. Hynny, neu bydd y newyddion mor drist fel yn achos Darfur neu ryfeloedd eraill. Bryd hynny, efallai, y cawn ddiddanwch yn y pethau blewog nad ydynt yn poeni yr un asgwrn sych am y ffordd y maen nhw'n bihafio.

Ac eto, maen nhw'n codi cwestiynau digon moesol weithiau. A yw'n iawn i'r artist Banksy baentio eliffant o'i drwnc i'w draed er mwyn ei gael yr un patrwm yn union â'r stafell y mae'n cael ei arddangos ynddi? Ydy arddangos eliffant mewn ystafell yn beth doeth, o gofio am ei allu i droi'r carped yn batrwm arall?

Yn Harrods wedyn, gwelwyd y 'briodas' gynta erioed, wel cyhoeddus ta p'un, rhwng dau gi. Roedd y briodferch wyth mis oed o'r enw Muffin mewn ffrog wen, gyda feil wrth gwrs. Tybed a yw hi'n rhy ifanc ym marn y pethau blewog i benderfynu am uniad oes? A fydd ysgariad tybed? Priododd ei phartner Bichon Frise Timmy ar ôl carwriaeth garlamus ac mae'r teuluoedd yn hapus dros ben. Am £3,500 mi all pawb fod ar eu ceffylau gwyn. Maddeuwch y croes ddywediadau.

Mae'r stori yn gwneud i mi gydymdeimlo â'r perchennog. Meddyliwch amdano yn cael ASBO yn erbyn ei geiliog er mwyn ei atal rhag canu! Nawr, mae yna fan hoffus yng Nghymru lle rwy'n treulio ambell i noson, ac mae ceiliog yn y fan honno yn canu'n ddi-baid. Wel, pwy all ddweud nad yw'r ceiliog hwn hefyd yn ymhyfrydu yn ei lais ac am i bawb wybod am ei dalentau yn union yr un ffordd ag y mae Connie Fisher wedi argyhoeddi pawb o'i thalent ryfeddol fel Maria. Hwyrach mai ymarfer ar gyfer rhyw ran mewn sioe gerddorol mae hwn.

Hoffais sylw ei berchennog wrth hel ei achau, gan fynnu ei fod wedi ei adnabod o'r cyfnod pan oedd yn wy. Taerodd iddo adnabod ei dad a'i fam o'i flaen, felly mae'r wy teuluol yn saff.

Yr unig beth blewog sy'n mynnu sylw yn y tŷ 'co yw'r gath, Rwdlan. A hi yw'r unig un i beidio â gadael cartref hyd yn oed am wyliau bach.

Er imi freuddwydio am ei gweld hithau'n cael partner, thâl hi ddim imi wneud cynlluniau drosti. Hi yw'r greadures fwyaf anghymdeithasol ar wyneb y ddaear. Rwy'n credu mai cael y tŷ iddi hi ei hun yw ei nod mewn bywyd. Mae'n gath 'od', a mynna un aelod o'r teulu nad yw hi erioed wedi bod yr un fath ers i rywun mewn parti gwyllt roi lipstic arni!

Wrth gwrs, doedd ei rhieni ddim yno ar y pryd. A derbyn ein bod yn cael ein galw ein hunain yn rhieni – i gath!

29 Chwefror 2012: Gallaf fyw heb foethau cyn y gallaf fyw heb gath

Os yw Mandela yn gwella yn ei gartref mewn gwlad ddi-apartheid, mae apartheid yn fyw ac iach yn Llandysul. Pan oeddem yn Moscow dros y flwyddyn newydd a'r ddwy gath mewn cathdy gerllaw eu cartref, daeth y newydd i un ohonynt gael trawiad ar y galon. Mawr fu'r galaru wrth orfod ildio i'w rhoi i gysgu. Am wythnosau fe fu'r gath a oroesodd yn galaru amdano. Byddai bob bore yn edrych allan drwy'r ffenest yn y gobaith y byddai Fflwcs yn dychwelyd neu'n cael ei atgyfodi mewn rhyw fodd.

Ar ôl dioddef ei chri am bron deufis, dyma ildio unwaith eto i chwilio am gyfaill i Colsyn, cath hollol ddu. Yn annisgwyl, clywsom am yr angen i fabwysiadu cwrcath a ganfuwyd yn cerdded strydoedd Llanelli yn ddigartref. Daeth William, y cwrcyn, atom, ar brawf i ddechrau, a hynny o law Ymddiriedolaeth y Cathod. Teimlem fel rhieni maeth go iawn wrth ateb llu o gwestiynau am ein gallu i'w warchod, ac i roi cartref da iddo.

A dyna pam y bu fel apartheid yn ein tŷ ni. Mae William yn hollol wyn a Colsyn yn hollol ddu, ac mae cadw'r heddwch rhyngddyn nhw wedi bod yn drafferthus. Y tro hwn, nid yr un sy'n wyn sy'n mynnu goruchafiaeth ond yr un ddu.

Myn person arall yn y teulu mai merched sy'n creu trafferth o hyd yn y byd hwn. Am unwaith, rhaid cydnabod bod y cwrcyn yn sleifio o gwmpas y lle, yn cerdded yn ofalus rhag disgyn ar bawennau Colsyn sydd wedi mynnu ers inni fabwysiadu cath arall mai ei phriod le hi yw gwaelod y gwely!

Mae problem arall gyda'r mabwysiadu. Nid yn unig mae William yn amddifad, ond mae ganddo anghenion arbennig am ei fod yn hollol fyddar. Fe allai hynny fod o fantais iddo gan na chlyw y gath ddu yn hisian a chwyrnu arno. Ac mae e'n beth del ofnadwy.

Gallaf fyw heb foethau cyn y gallaf fyw heb gath, neu gathod erbyn hyn. Bydd ambell un ohonoch yn deall fy sentiment, gobeithio – y mae yna gysur mewn gwylio cath yn cysgu neu'n gwerthfawrogi eich geiriau da chi.

EPILOG

Rwy'n saith mlwydd oed unwaith eto ac yn cerdded i fyny o Grove Road tuag at Ysgol Llan-giwg yn Ynysmeudwy, Pontardawe. Rwy'n galw am fy ffrind, Eleri Pugh ac awn i fyny'r stryd tuag at yr ysgol. Ar ddiwedd y prynhawn, rydym yn y Neuadd yn canu 'Now the day is over'. Nid wyf yn deall ystyr y geiriau na'r llinellau, oherwydd i mi, mae'r dydd megis ar ddechrau wedi inni adael yr ysgol a pharhau i gerdded ar hyd y gamlas yr ochr draw i'r Mans. Yno y mae 'shadows of the evening' yn amlygu eu hunain ar wyneb y dŵr a'r mwswg a welaf oddi tano. Mae myrdd o fydoedd yn dawnsio ar ei wyneb. Hwn oedd fy Walden i, yng nghanol y cambwlets a'r tir comin, yn gymysg â'r pryfed a'r creaduriaid anwel, ac yno yr ydw i'n cymell pilcynnod bach i mewn i botiau jam. Yno, rwy'n gweithio ffau i mi fy hun gan ddychmygu mai myfi yw'r unig berson sydd ar ôl yn y byd mawr. Mae'n glyd yno, er y drain a'r drysni. Yno, rwy'n gwylio'r caeau islaw ac yn clywed pêl griced yn clecian yn y pellter. Yma, mae'r gamlas fel Fenis i mi lle y medraf ddychmygu bydoedd eraill a dianc am rai oriau o anghymdeithasgarwch.

Er hynny, nid oedd dianc ychwaith o goncrid a gwaith y ffatri gwneud pop oedd gyferbyn â'r gamlas ac a oedd drws nesaf i'r Mans. Sŵn poteli a gwydr a glywaf yn gymysg â'r arogleuon soda a sinsir-bir, finegr, dant y ci a chacamwci. Ond er imi geisio cau allan y seiniau hyn, ac ymgolli yn nhir neb y gamlas, daw fy myd bach i ben gyda llais fy mam yn fy ngalw gan ddweud fod swper ar y bwrdd.

Dychwelyd i Gethsemani Merton, neu Walden Thoreau, yw fy mreuddwyd o hyd a minnau erbyn hyn yn fenyw yn fy oed a'm hamser. Sawl oed arall sydd, tybed, a beth yw amser wrth syllu draw at y perihelion? O, mor felys y gair yna, sy'n eco o'r gair 'peri' a'r pêr ynddo mor flasus hyd yn oed os yw heli'r môr a'r perihelion ymhell o'm gafael yn y cwm hyfryd hwn.

Er dyheu am dawelwch fy nghartref, ni allaf osgoi na gwrthod ychwaith y gwahoddiadau tramor sydd yn dal i'm cyrraedd gyda theithiau dros y dŵr i ddigwydd eto yn 2018, o Washington i Wlad Pwyl. Mynd a wnaf er mwyn dod yn ôl, wedi dysgu mwy eto am lenyddiaethau eraill yn eu sgil.

Arferai fy modryb yn ei nawdegau ddweud nad oedd ganddi ffordd bell i fynd wedi iddi farw am iddi fyw i oedran mawr, fel pe bai'r daith i dragwyddoldeb yn fyrrach oherwydd hynny. Byddai ei sylw yn codi gwên bob amser. Mae pob dim a wnawn yn hir neu'n fyr. Un gair sy'n fy ngoglais am farddoniaeth Siapan yw'r gair *hiragana*: gair sydd yn chwarae ar awen gryno yn hytrach na meithder. Gall olygu einioes hefyd ac mae canu dros ddegawdau lawer yn dal i deimlo fel llafn o laswellt. Na, does dim modd peidio â chlywed Whitman a'r Beibl yn fy atgoffa o fyrhoedledd ac amhrisiadwyedd einioes.

Bu'r daith ddaearol hon gan edrych dros fy ysgwydd ar bererindod lenyddol yn un fendithiol: seiniaf 'diolch o'r newydd'. Siwrne siawns yw llwybr bywyd, hwyrach, a dyna ddwyn i gof mai rhai o'm hoff eiriau wrth gychwyn cyfansoddi oedd geiriau fel diarffordd, anhygyrch, ar ddisberod, i ddifancoll, anial a'r swmpus Feiblaidd anghyfaneddle. O, fel y gallwn leisio'r gair hwnnw yn ddi-ben-draw fel adnod unwaith a rhyfeddu ato. Daw llinellau lu yn ôl ataf gyda hyn: 'Mor weddaidd ar y mynyddoedd yw traed yr hwn sydd yn efengylu'. Ond cennad i farddoniaeth oeddwn, ac ydwyf. Do, croesais sawl milltir awyr er mwyn cyrraedd rhai mannau a oedd weithiau yn llai na gweddaidd, ond dychwelais yn gyfoethocach bob tro o wybod bod yna fondo yno'n fendith.

Erbyn hyn, aeth y teulu bach o bedwar yn deulu o ddeuddeg, gyda thri bondo, un yng Nghaerfyrddin lle mae Fflur a'i gŵr, Iwan Evans, sy'n gerddor a'u dwy o ferched yn byw dafliad carreg oddi wrthym, a'r bondo arall yn Aberystwyth lle mae Meilyr a'i wraig, Mari Siôn, bardd ac awdur, a'u bechgyn hwy wedi ymgartrefu bellach – 'boed bendith ar nyth eu bondo'.

Meilyr Ceredig, Fflur Dafydd, Wynfford a minnau

Beca Elfyn a Luned Ifan

Twm Emlyn a Cai Gomer

Mae enwau newydd hefyd ar flaen fy ngwefus a'm calon bellach, gyda Beca Elfyn, Luned Ifan, Twm Emlyn a Cai Gomer yn llenwi'r aelwydydd â'u llawenydd. Pader Cai, ddyflwydd oed, bob nos cyn cysgu yw adrodd rhestr o enwau ei gyfeillion – arferiad yr wyf innau yn ddiweddar wedi ei fabwysiadu ar ôl gwrando arno.

Yn fy achos innau, cofio a wnaf am anwyliaid a'm gadawodd megis Myra, Elfyn, Esther a Jâms, Anti Ray (Rachel Ann), Wncwl Bryn ac Anti Hannah, Mam-gu Tymbl, a Jenni May. Gallaf ddweud gyda'r Salmydd, 'y llinynnau a syrthiodd i mi mewn lleoedd hyfryd; ie, y mae i mi etifeddiaeth deg'.

'Cofia i bwy wyt ti'n perthyn' oedd siars fy nhad wrth imi jolihoetio ar nos Sadwrn pan oeddwn yn ferch ifanc. Diolchaf imi berthyn i'r uchod, teulu bychan ond clòs, a diolchaf hefyd i ambell i aelod estynedig o'r teulu fel Anti Ann a Dewi o Lwynhelyg, Penrhiw-llan am addfwynder eu gofal am fy mhlant.

Gyda Iwan a Mari

A dyna ddychwelyd at enwau o bob math. Er yr holl enwau lleoedd estron y deuthum ar eu traws yn ystod fy nheithiau, y rhai sy'n dal i'm cyffroi yw Llysderi, Brynsiriol, Cenarth, Llwynysgaw, Cwrtycadno, Penrhiw-llan, Llwynhelyg, Cysgod y Graig a Chaerfyrddin. A'r dref hon, fy hendref bellach, yw Shir Gâr – sir cariad, sir a garaf, er fy mod yn dal i gredu mai un plwy mawr yw Cymru ac nad oes yna unlle na allaf ymweld yn dalog ag ef.

Pennill o emyn a wnâi imi dristáu pan oeddwn yn fychan wrth gydganu yn oedfa'r nos ym Mhontardawe oedd:

O! Arglwydd cofia blant ein gwlad
'Rôl gadael cartref mam a thad
Rhag iddynt droi o lwybrau'r nef:
Mewn mannau dyrys tywys hwy.
Rhag iddynt gael gan bechod glwy;
O! cofia ar ein rhan eu llef.

Byddai trafod llwybrau'r nef yn haeddu pennod arall ond do, bûm mewn mannau dyrys ond cael fy nhywys rywsut, rywfodd, i ddiogelwch bob tro. Onid troedle anniogel yw'r lôn a ddewis bardd? Bodoli fel y claf yn Abercuawg yn ymglywed â cholled ac asio gyda llais swynol y gog a fynnai ganu, doed a ddelo, gan herian yr hiraeth a deimlai'r gwrandäwr. Un gân sydd gan y gwcw, medd y ddihareb, a hwyrach mai un alaw anorffenedig yw'r geiriau a lifa o enau – b a r d d. Ie, bardd. Ataliad o air yw, gair i golli'ch gwynt iddo ac oedais unwaith eto gyda'r enw hwnnw sy'n fwy arswydus na'r enw Menna ac yn fwy anghyffwrdd nag Elfyn. Cael fy adnabod fel bardd cyn i'r anhysbys ei oddiweddyd neu i 'er cof' ei ddileu am byth. Dyna fyddai paradwys i mi yn fy Ynys Meudwy – yn feudwy ar ynys. Ymynysiaeth a hynny yn berffaith nam.

Detholiad o gyhoeddiadau

Cyfrolau o gerddi

Mwyara (Llandysul: Gwasg Gomer, 1976)

Stafelloedd Aros (Llandysul: Gwasg Gomer, 1978)

Tro'r Haul Arno (Llandysul: Gwasg Gomer, 1982)

Mynd Lawr i'r Nefoedd (Llandysul, Gwasg Gomer, 1986)

Aderyn Bach mewn Llaw (Llandysul: Gwasg Gomer, 1990)

Eucalyptus: Detholiad o Gerddi/ Selected Poems 1978–1994 (Llandysul: Gwasg Gomer, 1995)

Cell Angel (Tarset: Bloodaxe Books, 1996)

Camlas y Cwm: Pontardawe, cyfres Y Man a'r Lle/ Places, 10 (Y Drenewydd: Gwasg Gregynog, 1999) – cerdd bros/ysgrif

Cusan Dyn Dall/ Blind Man's Kiss (Tarset: Bloodaxe Books, 2001)

Perffaith Nam (Llandysul: Gwasg Gomer, 2005)

Er Dy Fod (Llandysul: Gwasg Gomer, 2007)

Perfect Blemish/ Perffaith Nam, New & Selected Poems 1995–2007/ Dau Ddetholiad a Cherddi Newydd (Tarset: Bloodaxe Books, 2007)

Merch Perygl: Cerddi 1976–2011 (Llandysul: Gwasg Gomer, 2011)

Murmur (Tarset: Bloodaxe Books, 2012)

Bondo (Tarset: Bloodaxe Books 2017)

Cyfrolau mewn ieithoedd eraill

The Bloodstream (Gwasg Poetry Wales, 1989)

Roke Stran, Ljubljana, Slofenia: prvič izdano (Save the Children Fund/ Welsh Women's Aid, 1996)

Angelo di Cella, a cura di erminia Passannanti (Salerno: Ripostes, 1999)

Autobiografia in Versi, cyf. Andrea Bianchi a Silvana Siviero (Faenza: Mobydick, 2005)

Vualiuotas Bučinys, cyf. Sonata Paliulyté (Vilnius: Vaga, 2005)

El ángel de la celda, cyf. Eli Tolaretxipi (Zaragoza: Bassarai Poesia, 2006)
Poemas, Tishani Doshi & Menna Elfyn, de las tarducciones al español Mauricio Contreras Hernández, Robby Rodriguez (Bogotá, Colombia: Cenefa, cultura panchigua, 2007)
Mancha Perfecta, cyf. Eli Tolaretxipi (Gíjon: Ediciones Trea, 2011)
A Door in Epynt: Chinese/ Welsh (Hong Kong: Chinese University Press, 2013)
Menna Elfyn's Poetry (cyf. mewn Hindi) (Kerala: Kritya Publishers, 2015)
Murmurioa, cyf. Eli Tolaretxipi (Baiona: Maiatz, 2016)
Korrespondentziak/ Gohebiaethau/ Correspondencias, Arantxa Urretabizkaia & Menna Elfyn (Basque, Welsh and Spanish: Donostia/ San Sebastian: Amos Oz erein, 2016)

Nofelau i blant
Madfall ar y Mur (Llandysul: Gwasg Gomer, 1993)
Rana Rebel (Llandysul: Gwasg Gomer, 2002)
Anna agus Niko, cyfrol ar y cyd â Tapani Bagge, Miquel Desclot, Iva Procházková, Gabriel Rosenstock (Baile Átha Cliath: An Gúm, 2005)
Konec kouzelného talismanu, cyfrol ar y cyd â Tapani Bagge, Miquel Desclot, Iva Procházková, Gabriel Rosenstock (Praha: Albatros, 2006)
Des de Laponia amb amor, cyfrol ar y cyd â Tapani Bagge, Miquel Desclot, Iva Procházková, Gabriel Rosenstock (Barcelona: Cruïlla, 2007)
Y Pussaka Hud (Caernarfon: Gwasg y Bwthyn, 2012)

Dramâu llwyfan
Rhyw Ddydd, gyda Llio Silyn, Judith Humphreys ac Eirlys Parri (perfformiwyd gyntaf yn Eisteddfod Genedlaethol Llanbedr Pont Steffan 1984)
Madog: *Cymru'n Darganfod America* (perfformiwyd gyntaf gan Theatr Taliesin Wales, 1989)
Trefen Teyrnas Wâr (Theatr Taliesin Wales a Chymuned Bro'r Preseli, 1990)

Y Forwyn Goch (drama am Simon Weil; perfformiwyd gyntaf gan Dalier Sylw, Awst 1992)

Blodeuwedd Rŵls Ocê (drama gomisiwn ar gyfer Theatr Ieuenctid Dyfed; perfformiwyd yn Theatr Felinfach, Gwanwyn 1992)

Melltith y Mamau (drama gomisiwn Eisteddfod Genedlaethol Bro Colwyn 1995; perfformiwyd yn Theatr Clwyd, Awst 1995)

Siop Elusen (comisiwn ar gyfer cystadleuaeth actio deialog rhwng bachgen a merch dan 19 oed, Eisteddfod Genedlaethol Bro Dinefwr 1996)

Y Coed (cyfieithiad o ddrama David Mamet, perfformiwyd gan Daniel Evans a Maria Pride, Eisteddfod Genedlaethol Bro Ogwr 1998)

Ho Ho Ho (cyfaddasiad o ddrama Mike Kenny; Theatr Sherman a Theatr Mwldan, 2002)

Y Rhedwr (rhan o'r testun yn sioe un fenyw, Eddie Ladd, Hydref 2009)

Malwod Mawr (drama gomedi gymunedol, Menter Myrddin, perfformiwyd o gwmpas neuaddau Sir Gaerfyrddin, 2014)

Y Ferch a Ddaeth o'r Môr (cyfieithiad o ddrama Ibsen, Theatr Genedlaethol Cymru, 2015)

Dewch gyda Fi (cyfieithiad o ddrama Mike Kenny, Theatr Taliesin, Abertawe, 2017)

Dramâu radio

Y Galwr (darlledwyd gan BBC Radio Cymru, 2003)

Iechyd yw Popeth (darlledwyd gan BBC Radio Cymru, 2004)

Ann (darlledwyd gan BBC Radio Cymru, 2005)

Cysgodion Tu Mewn (darlledwyd gan BBC Radio Cymru, 2006)

Cymdogion (darlledwyd gan BBC Radio Cymru, 2007)

Dim Byd o Werth (darlledwyd gan BBC Radio Cymru, 2008)

Colli Nabod (darlledwyd gan BBC Radio Cymru, 2009)

Hirddydd Heddwch (darlledwyd gan BBC Radio Cymru, 2009)

Libretti a cherddoriaeth

'Garden of Light' (Menna Elfyn & D. Simpatico); symffoni gorawl i Gerddorfa Ffilharmonig Efrog Newydd, Canolfan Lincoln, Efrog Newydd. Cyfansoddwr: Aaron J. Kernis, arweinydd: Kurt Masur, 1999.

Programme: Disney's Millennium Symphonies (Wonderland Music Company, Inc. and Associated Music Publishers, Inc. (BMI))

'Y Bont/ The Bridge', South Wales Intercultural Arts (*libretto* gyda'r cyfansoddwr Rob Smith, 2000)

'Preiddiau'r Cymry' (*libretto* ar gyfer Côr Cymry America a Chanada: perfformiwyd yn Minneapolis: Cymanfa Ganu, 2000; cyfansoddwr: David Evan Thomas, 2000)

'Agoriad' (chwedl San Gofan); darn ar gyfer côr (perfformiwyd yn Eglwys Gadeiriol Tyddewi gan Ysgol Gerdd Ceredigion ac yn Iwerddon gan Gôr Na Nóg, RTE yn Nulyn, 2000; cyfansoddwr: John Metcalf, 2000)

'Emyn i Gymro'; comisiwn cyfansoddi darn teyrnged i R . S. Thomas (i gyfeiliant y delyn; perfformiwyd gan Elinor Bennett yn Neuadd Ercwlff, Portmeirion, 2001; cyfansoddwr: Pwyll ap Siôn)

Cyfres o dair cân a gomisiynwyd gan y gyfansoddwraig Hilary Tann; CD *Songs of the Cotton Grass*, Hilary Tann, Cwmni recordiau Deux–Elles (argraffwyd gan Oxford Contemporary Repertoire series, Goodmusic Publishing, 2002)

CD *Mae'n Gêm o Ddau Fileniwm:* gol. Iwan Llwyd/ Myrddin ap Dafydd (Llanrwst: Gwasg Carreg Gwalch, 2002)

'Hawddamor', *Première* byd, comisiynwyd gan Gerddorfa Genedlaethol Gymreig y BBC, cyfansoddwr: Pete Stacey (2002)

'Cylch Cyfaredd': cân gomisiwn i Gôr Cymry America/Canada, cyfansoddwr: Richard Lind (2003)

'Wings of the Grasses' (comisiynwyd ar gyfer Gŵyl Llanandras, 'A Garland for Prestigne', 2003)

'The Girl's Song', *So Much Beauty* (Elmgrove Productions, 2004)

'Vale of Tears', *The Shining Place* (Elmgrove Productions, 2005)

CD Sain: *Detholiad o Hoff Gerddi Cymru*: 'Er Cof am Kelly' (2005)

'Muriau', rhestr wyth olaf *Cân i Gymru*, cyfansoddwr: Iwan Evans (2005)

Comisiwn i ysgrifennu darn corawl 'Wellspring' ar gyfer Eisteddfod Ryngwladol Llangollen, perfformiwyd yn 2008. Cyfansoddwraig: Hilary Tann (2008)

'Y Dyn Unig', comisiwn ar gyfer Band Pres Porthtywyn (cantata am hanes Pen-y-fai; perfformiwyd gan Claire Jones, Robyn Lyn, dau gôr a Band Pres Porthtywyn; cyfansoddwr: Andrew Powell, 2009)

'Gair ar gnawd', comisiwn ar gyfer Opera Cenedlaethol Cymru (MAX); oratorio i ddau gôr a dau unawdydd, cyfansoddwr: Pwyll ap Siôn. Perfformiwyd yn 2012 a darledwyd fel opera yn 2015.

Gwaith addysgol

Rhamant, Ehangu Gorwelion, 'Rhyw Ddydd' (1988)

Perthyn, Llyfryn Addysg Grefyddol, gol. Angharad Tomos (CAA, 1988)

Llyfrynnau i hybu sgiliau iaith disgyblion is eu cyrhaeddiad Bl 7–8: *Tyfu, Chwaraeon, Teithio, Cadwraeth, Y Teulu a'r Gymuned, Anifeiliaid*

Llawlyfr i Athrawon (deunyddiau ar gyfer ysgolion: gemau cyfrifiadurol, tapiau: Caerdydd: Swyddfa Gymreig, 1989; cyhoeddwr: Sefydliad er Ymchwil i Addysg, NFER/ SCYA: Y Ganolfan Adnoddau, 1989)

BP Poetry Resources File: *for Secondary Schools*; ysgrif am weithdai a rhai enghreifftiau, 'Poetry and the Welsh Language' (London: Poetry Society, 1993)

Hands Off, Save the Children Fund/ Welsh Women's Aid (1997)

Dim Llais i Drais, Cronfa Achub y Plant/ Cymorth i Fenywod (1997)

Cofiannau

Optimist Absoliwt: Cofiant Eluned Phillips (Llandysul: Gwasg Gomer, 2016)

Cydnabyddiaethau Lluniau

Athena Picture Agency Ltd/Alamy Stock Photos: t.160

Marian Delyth: t. 54, 63, 89, 201

Betsan Evans/Celf Calon: t. 214

Mary Giles: t. 74

Chris Gregory: t. 125

Ann Lenny: t. 20

Bernard Mitchell: t. 185, 213

Sion Tomos Owen: t. 175

Gareth Phillips: t. 217

Francoise Roy: t. 158

Sbec/S4C: t. 178

Y Cymro: t. 43

Western Mail: t. 29

Mynegai

Mae * yn cyfeirio at luniau. Rhestrir teitlau cerddi dan enw'r awdur perthnasol.